Workbook

3rd Edition

Samara Chaudhory

CHINESE Made Easy

轻松学汉语

Yamin Ma
Xinying Li

Joint Publishing (H.K.) Co., Ltd.
三联书店（香港）有限公司

Chinese Made Easy (**Workbook 2**) *(Simplified Character Version)*

Yamin Ma, Xinying Li

Editor	Shang Xiaomeng
Art design	Arthur Y. Wang, Yamin Ma
Cover design	Arthur Y. Wang, Zhong Wenjun
Graphic design	Arthur Y. Wang, Zhong Wenjun
Typeset	Zhou Min

Published by
JOINT PUBLISHING (H.K.) CO., LTD.
20/F., North Point Industrial Building,
499 King's Road, North Point, Hong Kong

Distributed by
SUP PUBLISHING LOGISTICS (H.K.) LTD.
16/F., 220-248 Texaco Road, Tsuen Wan, N.T., Hong Kong

First published November 2001
Second edition, first impression, July 2006
Third edition, first impression, September 2014
Third edition, eighth impression, April 2021

E-mail: publish@jointpublishing.com

轻松学汉语（**练习册二**）（简体版）

编　　著	马亚敏　李欣颖
责任编辑	尚小萌
美术策划	王　宇　马亚敏
封面设计	王　宇　钟文君
版式设计	王　宇　钟文君
排　　版	周　敏
出　　版	三联书店（香港）有限公司 香港北角英皇道 499 号北角工业大厦 20 楼
发　　行	香港联合书刊物流有限公司 香港新界荃湾德士古道 220-248 号 16 楼
印　　刷	美雅印刷制本有限公司 香港九龙观塘荣业街 6 号 4 楼 A 室
版　　次	2001 年 11 月香港第一版第一次印刷 2006 年 7 月香港第二版第一次印刷 2014 年 9 月香港第三版第一次印刷 2021 年 4 月香港第三版第八次印刷
规　　格	大 16 开（210 × 280mm）208 面
国际书号	ISBN 978-962-04-3466-2

目录

第一课　我们搬家了

课文 1

1 填空

①

早上	上午	中午	下午	晚上

②

昨天	今天	明天

③

上个周末	这个星期	下个周末
上个星期	这个星期	下个星期
上个月	这个月	下个月

2 连词成句

1) 搬家 / 小明家 / 了 / 上个周末 / 。→ 小明家上个周末搬家了。

2) 明天 / 北京 / 会 / 去 / 出差 / 他 / 。→ 他明天会去北京出差。

3) 他的 / 参加了 / 生日会 / 我 / 昨天 / 。→ 我昨天他的生日会参加了。

4) 上个周末 / 去了 / 朋友的家 / 我 / 。→ 我朋友的家上个周末去了。

5) 美国 / 下个月 / 去 / 哥哥 / 上大学 / 会 / 。

→ 哥哥下个月会去美国上大学。

6) 开始 / 妹妹 / 学 / 下个星期 / 画画儿 / 会 / 。

→ 妹妹下个星期会开始画画儿学。

3 翻译

① 我们搬进了一幢楼房。

We moved into a tall building. ✓

② 妈妈说："你坐下。"

Mum said : sit down .

③ 她上个月搬出了外婆家。

Last year she moved out of her maternal grandma's house. ✓

④ 奶奶走进了厨房。

My paternal grandma walked into the kitchen. ✓

⑤ 他不在家，他出去了。

He is not at home, he has gone out. ✓

⑥ 弟弟跑回了他的房间。

Younger brother ran back to his room. ✓

4 找出词语并写出意思

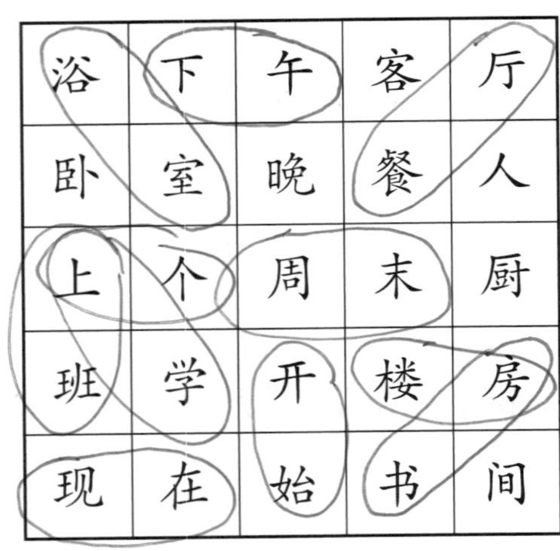

浴	下	午	客	厅
卧	室	晚	餐	人
上	个	周	末	厨
班	学	开	楼	房
现	在	始	书	间

1) 下午 - afternoon ✓

2) 周末 - weekend ✓

3) 开始 - start ✓

4) 现在 - now ✓

5) 上班 - go to work ✓

6) 书房 ✓ study room

7) 楼房 - tower building ✓

8) 上学 - go to school ✓

9) 上个周末 - last

10) 餐厅 - dining room ✓

11) 浴室 - bathroom ✓

12) 客厅 - guest hall ✓

5 翻译

① When are you going to move?
你什么时候搬家？

④ How many bedrooms are there in your new home?
你们的新家有几间卧室？

② How many floors does that building have?
那幢楼房有多少层？

⑤ Is your room big?
你的房间大吗？

③ On which floor is your new home?
你们的新家在几楼？

⑥ How do you go to school every day?
你每天怎么上学？

6 阅读理解

我们家上个星期六搬家了。我们搬到了广州，搬进了一幢新楼房。

这幢楼房一共有十八层，我们的新家在十六层。我们的新家很大，有三间卧室、两间浴室、一个厨房、一个餐厅、一个客厅，还有一个书房。

我的房间不太大。我每天都在我的房间里做作业、看书。我还喜欢在房间里一边听音乐，一边上网。我很喜欢我的房间。

回答问题：

1) 他们什么时候搬进了新家？
上个星期六

2) 他们现在住在哪儿？
广州

3) 他们的新家在几楼？
十六

4) 他们的新家有几间卧室？
三间卧室

5) 他们的新家有书房吗？
有

6) 他的房间大不大？
不太大

7 看图写短文

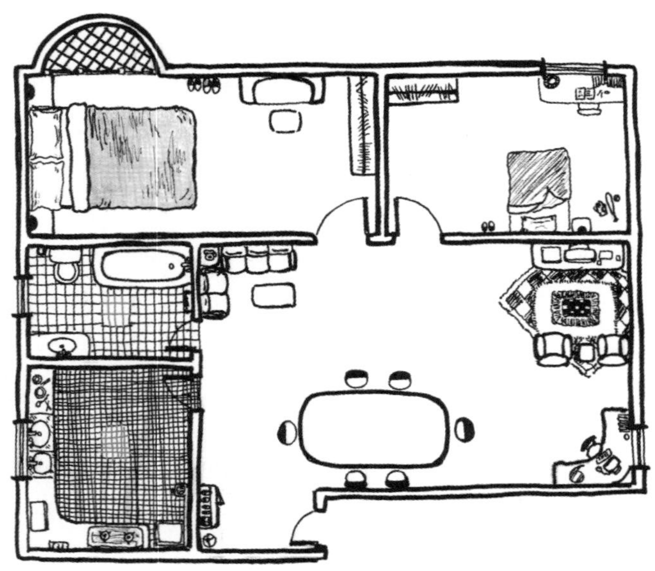

这是我们的新家。

8 阅读理解

中国概况

中国的全称是"中华人民共和国"。中国的英文名称是 the People's Republic of China (PRC)。中华人民共和国一九四九年十月一日成立。中国的首都是北京。中国的国旗是五星红旗。中国的官方语言是汉语普通话。

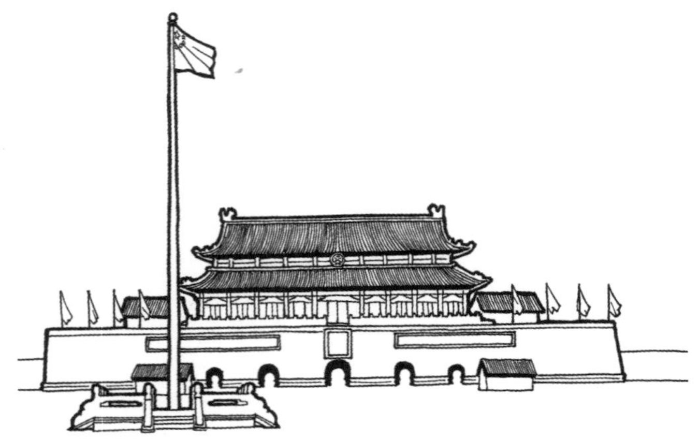

生词

1. 概况 (gài kuàng) basic facts
2. 全称 (quánchēng) full name
3. 中华 (zhōng huá) China
4. 人民 (rén mín) the people
5. 共和国 (gòng hé guó) republic
   中华人民共和国 (zhōng huá rén mín gòng hé guó) the People's Republic of China
6. 名称 (míngchēng) name
7. 成立 (chéng lì) found; establish
8. 首都 (shǒu dū) capital
9. 国旗 (guó qí) national flag
10. 红旗 (hóng qí) red flag
11. 官方 (guān fāng) official
12. 普通话 (pǔ tōng huà) putonghua, a common speech (of the Chinese Language)

A 填空

1) 中国的全称是"中华人民共和国"。

2) 中华人民共和国 一九四九年十月一日 成立。

3) 中国的首都是 北京。

4) 中国的官方语言是 汉语普通话。

B 写意思

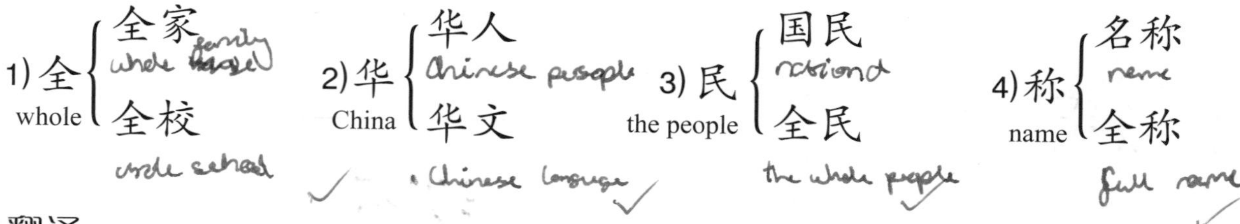

1) 全 whole { 全家 whole family; 全校 whole school }

2) 华 China { 华人 Chinese people; 华文 Chinese language }

3) 民 the people { 国民 national; 全民 the whole people }

4) 称 name { 名称 name; 全称 full name }

C 翻译

1) the People's Republic of China

中华人民共和国。

2) the Five-Star Red Flag

五星红旗。

3) the capital of China

中华的首都。

4) the official language

官方语言。

D 填空

① 

英国 国旗

颜色：红色，白色，蓝色

② 美国 国旗

颜色：红色，白色，蓝色

③ 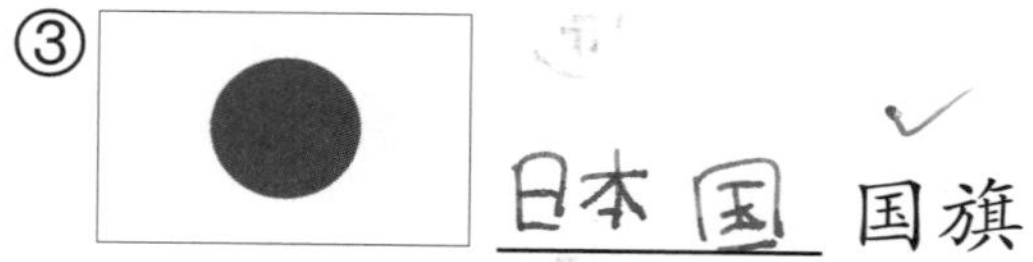

日本国 国旗

颜色：红色和白色

④ 德国 国旗

颜色：红色，黄色和黑色。

课文 2

9 看图写词

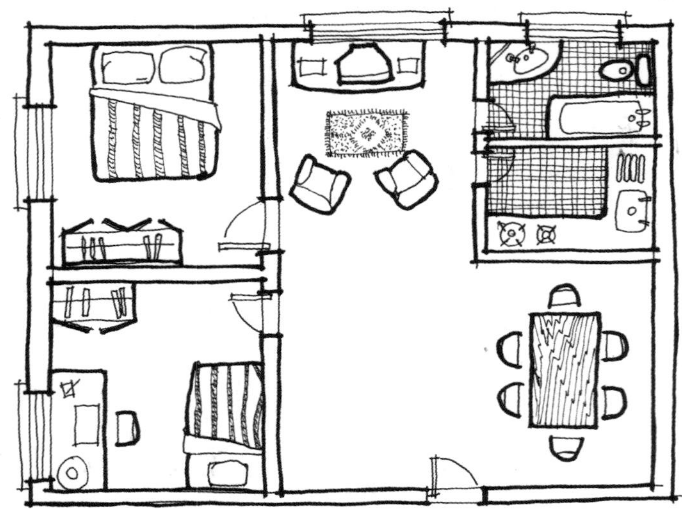

A 房间

1) 两个卧室______　2) 客厅______

3) 浴室______　4) 餐厅______

5) 厨房______

B 家具（jiā jù）

1) 沙发______　2) ______

3) ______

10 用所给词语填空

A Complement of result

到　见　会　长

1) 他回<u>到</u>了上海。

2) 我看<u>见</u>弟弟了。

3) 我学<u>会</u>滑冰了。

4) 她的头发长<u>长</u>了。

5) 你看<u>见</u>我的毛衣了吗？

6) 昨天晚上他工作<u>到</u>十点。

B Complement of direction

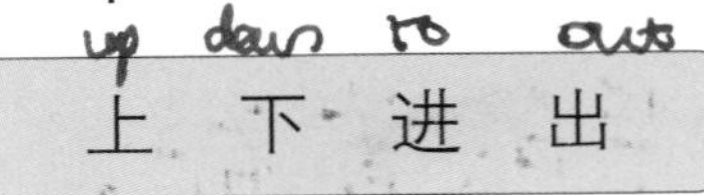

1) 他跑<u>进</u>楼了。

2) 她走<u>出</u>厨房了。

3) 我们搬<u>出</u>了新家。

4) 请坐<u>下</u>！

5) 妹妹跑<u>进</u>了洗手间。

6) 弟弟跳<u>上</u>了沙发。

11 看图完成句子

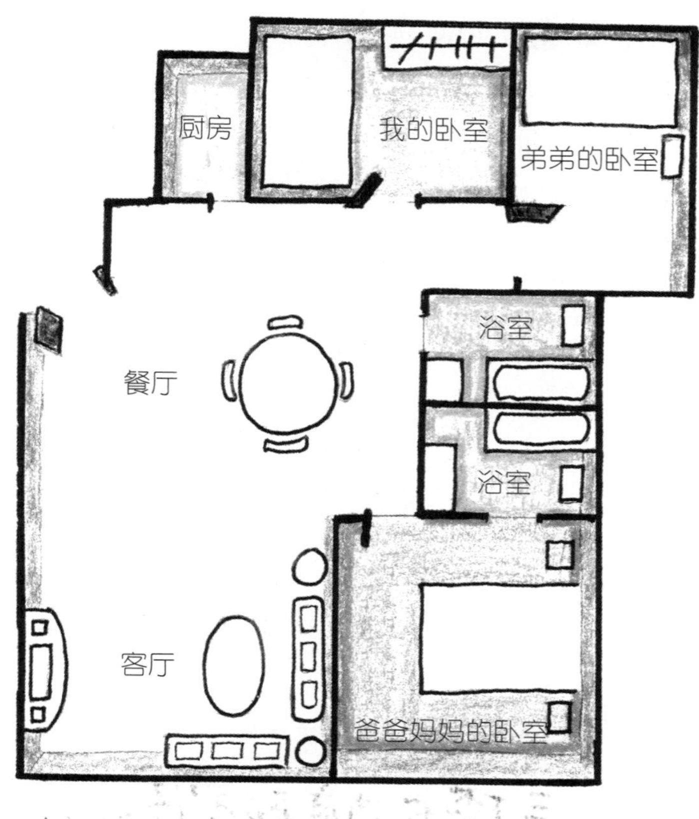

A

1) 我的新家有 一个客厅和一个餐厅。
2) 我的卧室里有 书桌。
3) 客厅里有 两个沙发和电视
4) 餐厅里有 一个餐厅和四个椅子。

B

1) 厨房在 我的新家。
2) 弟弟的卧室在 我的卧室在右边。
3) 餐桌和椅子在 浴室在前面。
4) 沙发在 桌子后面。

12 连词成句

1) 现在 / 我 / 每天 / 回家 / 走路 / 都 / 。→ 我现在每天都走路回家。
2) 搬家 / 我们家 / 了 / 上个周末 / 。→ 我们家上个周末搬家了。
3) 车库 / 房子外面 / 和 / 游泳池 / 有 / 。→ 房子外面有车库和游泳池。
4) 餐桌 / 餐厅 / 和 / 有 / 椅子 / 里 / 。→ 餐厅里有餐桌和椅子。
5) 客房 / 在 / 三楼 / 和 / 书房 / 。→ 客房和书房在三楼。
6) 一个书房 / 和 / 一间浴室 / 我们的新家 / 有 / 。

→ 我们的新家有一个书房和一间浴室。

13 根据实际情况回答问题

1) 你们家上个月搬家了，对吗？

2) 你们家现在住楼房吗？住几层？

3) 你们家有几间卧室？

4) 你们家有几间浴室？

5) 你们家有书房吗？

6) 你们家的客厅大吗？

7) 你的房间大不大？

8) 你们家的电话号码是多少？

14 翻译

① Last week we moved into a Western-style house.

我们家上个周搬家去洋房。 (到了一幢)

② There is a small garden in front of the house and a big one at the back.

小花园在房子前面和大花园在房子后面。

③ The house has three floors and my room is on the 2nd floor.

房子有三楼，我的房间在二楼。 (层)

④ Our new home is on the 18th floor.

我们的新家在十八楼。

⑤ There are a study room and a guest room on the 3rd floor.

三楼有书房和客房。

⑥ There is a swimming pool on the right side of the house and a garage on the left.

游泳池在房子右边，车库在房子左边。

⑦ There is a toilet on the 1st floor.

一楼有洗手间。

⑧ There are altogether six rooms in this Western-style house.

这所洋房一共有六间客房。 (幢)

15 看图回答问题

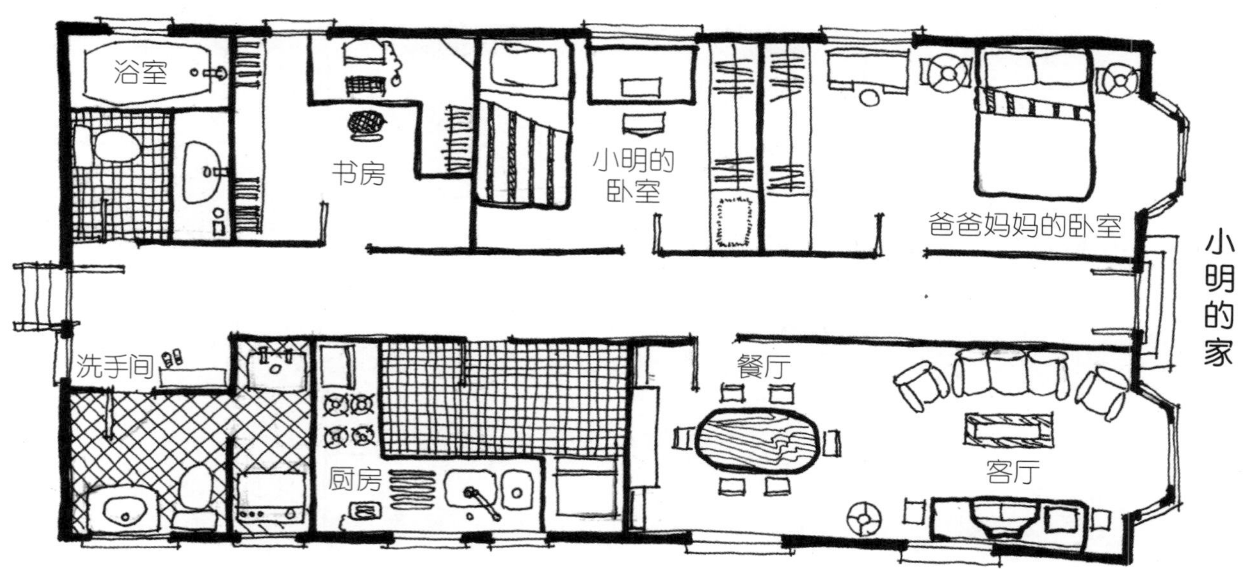

1) 小明的家有几间卧室?
两间

2) 他爸爸妈妈的房间在哪儿?
他爸爸妈妈的房间在小明的卧室右边。

3) 他家有书房吗? 书房在哪儿?
有。在浴室右边。

4) 他家有几间浴室?
一间

5) 小明的房间在哪儿?
在厨房后面。

6) 厨房在哪儿?
在餐厅左边。

7) 餐厅里有什么?
餐厅里面有六个椅子和一个餐桌

8) 客厅里有什么?
客厅里有电视。

16 组词

1) 卧室　2) 餐厅　3) 房子　4) 书房　5) 客房

6) 浴室　7) 楼房　8) 花园　9) 洋房　10) 车库

17 写出偏旁部首的意思

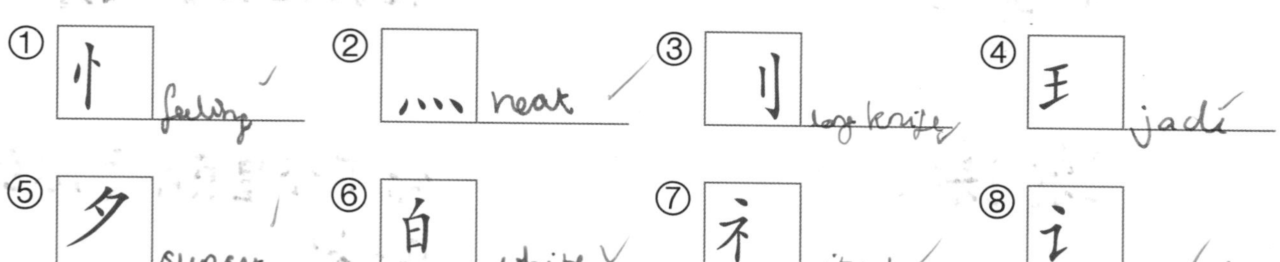

18 判断正误

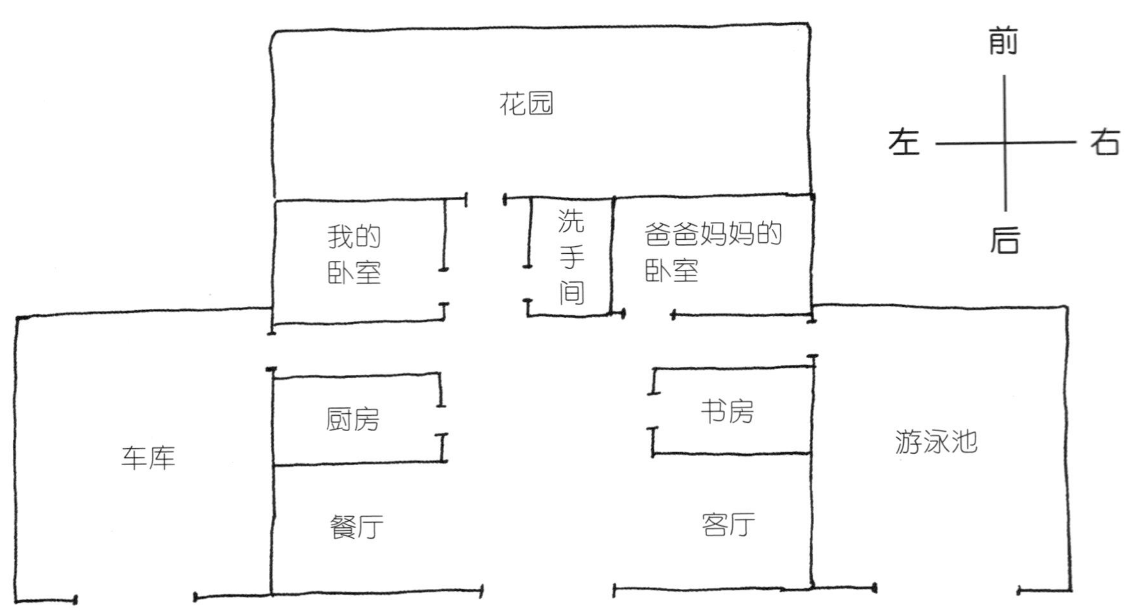

T 1) 我家有两间卧室。

F 2) 洗手间在我的卧室左边。

F 3) 我家有两个花园：一个大花园和一个小花园。

T 4) 客厅在餐厅右边。

F 5) 厨房在书房前面。

F 6) 我家有车库和花园，但是没有游泳池。

19 完成对话

1) A: 对不起！

B: 没关系

2) A: 谢谢你！

B: 不客气

3) A: 请坐！

B: 谢谢！

4) A: 请问，你妈妈在家吗？

B: 她在家。我会叫她

5) A: 你家住在哪儿？

B: 我家住在独立房。

6) A: 你什么时候来我的新家？

B: 我下个星期去你的新家。

20 找出词语并写出意思

里	前	后	左	右
外	面	开	车	边
洋	房	始	库	头
洗	手	间	沙	发
昨	天	游	泳	池

1) 昨天
2) 外面 ✓
3) 车库 ✓
4) 左边 ✓
5) 右边 ✓
6) 后面 ✓
7) 里面 ✓
8) 游泳池 ✓
9) 沙发 ✓
10) 洋房 ✓
11) 前面 ✓
12) 房间 ✓

21 阅读理解

我们家住洋房。我们的洋房一共有两层。一楼有客厅、餐厅、厨房和洗手间。二楼有三间卧室：我爸爸妈妈的卧室、我的卧室和客房。二楼还有两间浴室。

我们家房子的后面有一个大花园。我经常在花园里踢足球。房子的右边有一个车库。车库很大，爸爸的车和妈妈的车都停(tíng)在车库里。

我喜欢我们家的房子。我很喜欢住在这里。

回答问题：

1) 他家的房子有几层？
两房
2) 一楼有洗手间吗？
有 ✓
3) 二楼有几间卧室？
三间卧室 ✓
4) 他家有书房吗？
没有
5) 花园在哪儿？
房子的后面 ✓
6) 他常在花园里做什么？
踢足球。✓
7) 车库在哪儿？
房子的右边 ✓

2023.1.20.

22 写短文

Write about your home. You should include:

- when did you move
- what type of housing you are living in now
- the number of bedrooms and other rooms you have
- whether you have a garage or a garden

23 阅读理解

北京

北京是中国的首都，是中国的政治中心和文化中心。北京是一座古都，有三千多年的历史，曾经是金、元、明、清四个朝代的首都。北京有很多名胜古迹，有天安门、故宫、长城、颐和园等等。北京也是一座现代国际都市。

生词

1. zhèng zhì 政治 politics
2. zhōng xīn 中心 centre
3. wén huà 文化 culture
4. zuò 座 a measure word (used for large and solid things)
5. gǔ dū 古都 ancient capital
6. duō 多 more
7. lì shǐ 历史 history
8. céng jīng 曾经 once
9. jīn cháo 金（朝） Jin Dynasty (1115-1234)
10. yuán cháo 元（朝） Yuan Dynasty (1206-1368)
11. míng cháo 明（朝） Ming Dynasty (1368-1644)
12. qīng cháo 清（朝） Qing Dynasty (1616-1911)
13. cháo dài 朝代 dynasty
14. míng shèng gǔ jì 名胜古迹 scenic spots and historical sites
15. tiān ān mén 天安门 Tian An Men
16. gù gōng 故宫 the Forbidden City
17. chángchéng 长城 the Great Wall
18. yí hé yuán 颐和园 Summer Palace
19. xiàn dài 现代 modern
20. guó jì 国际 international
21. dū shì 都市 metropolis

A 填空

1) 北京是中国的 首都 。

2) 北京是中国的 政治 中心和 文化 中心。

3) 北京有很多名胜古迹，有 天安门 、故宫 、长城 、颐和园 等等。

4) 北京是一座古都，也是一座 现代国际都市 。

B 写意思

1) 都 capital
- 首都 capital
- 古都 ancient capital
- 都市 metropolis

2) 代 times
- 时代 era
- 现代 modern
- 朝代 dynasty

3) 心 centre
- 中心 centre
- 手心 palm

4) 际 inter-
- 国际 international
- 校际 inter-school

C 模仿例子英译汉

1) 例子：北京有三千多年的历史。
Xi'an (西安) has over 6,000 years of history.
西安有六千多年的历史。

2) 例子：北京曾经是金、元、明、清四个朝代的首都。
Xi'an used to be the capital of 13 dynasties.
西安曾经是金，元，明，清十三个朝代的首都。

D 上网找答案

1) 美国的首都：Washington DC

2) 法国的首都：Paris

3) 英国的首都：London

4) 德国的首都：Berlin

5) 俄罗斯的首都：Moscow

6) 西班牙的首都：Madrid

第二课　我的房间

课文 1

1 看图写词并完成句子

A 写词语

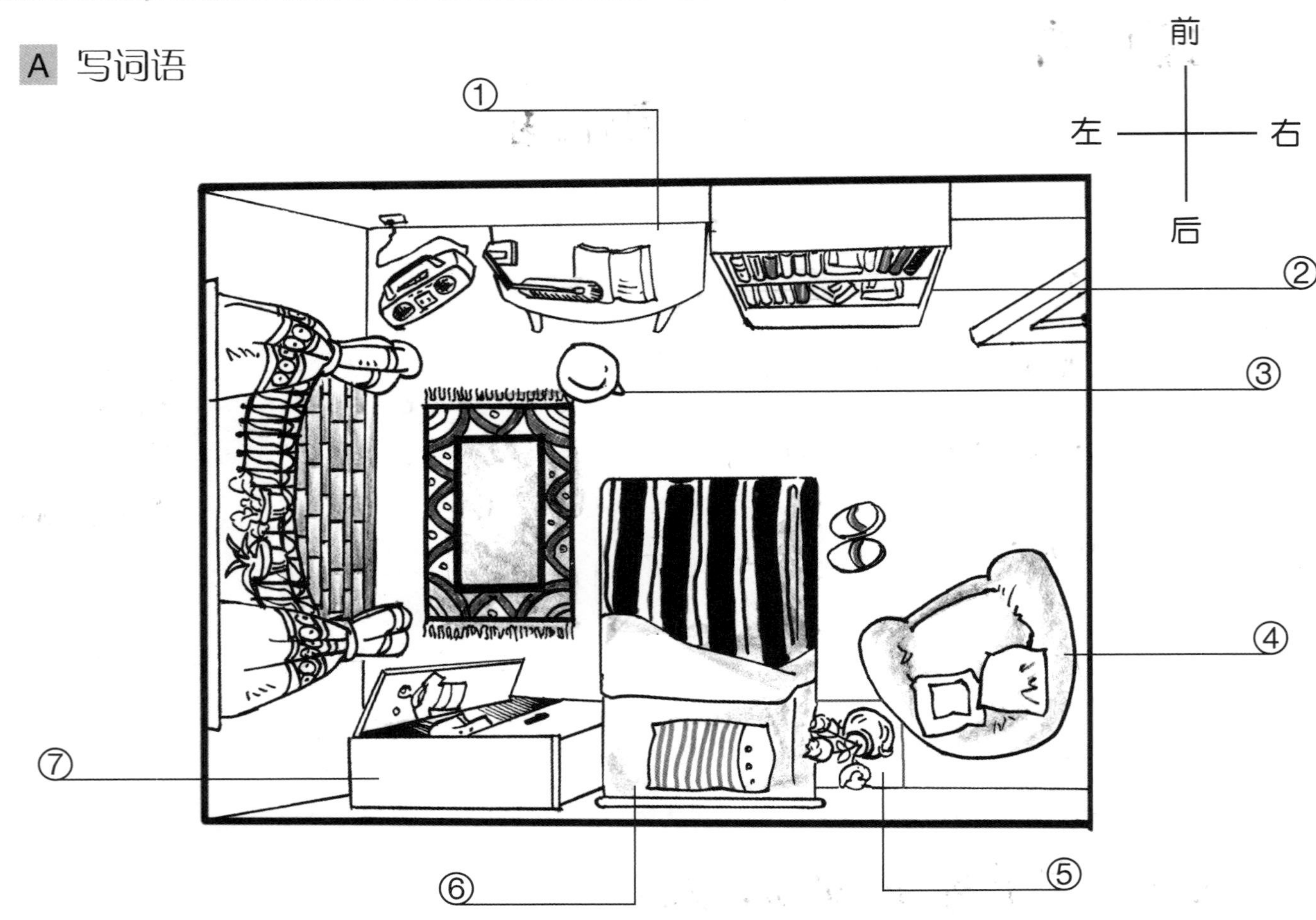

B 完成句子

1) 衣柜里有 T恤衫＿＿＿＿　　6) 书桌在 书架左边＿＿＿＿

2) 书桌上有 本子 ✓＿＿＿＿　　7) 床的左边是 衣柜＿＿＿＿

3) 书架上有 本子＿＿＿＿　　8) 床头柜的右边是 沙发 ✓＿＿＿＿

4) 衣柜在 ~~床右边~~ 床左边 ✓＿＿＿＿　　9) 书架的左边是 书桌 ✓＿＿＿＿

5) 沙发在 床头柜右边 ✓＿＿＿＿　　10) 床的对面是 书架和书桌＿＿＿＿

2 组词并写出意思

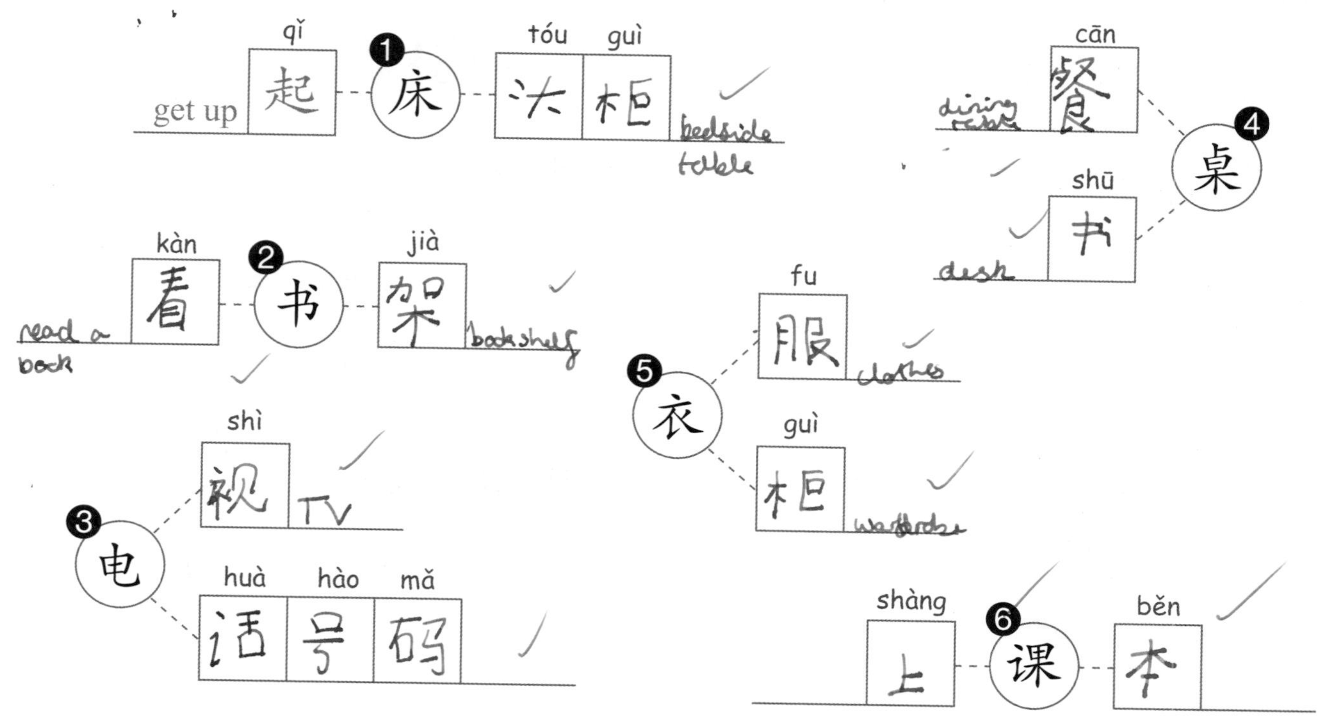

3 看图写句子

①

相框在书桌上面。

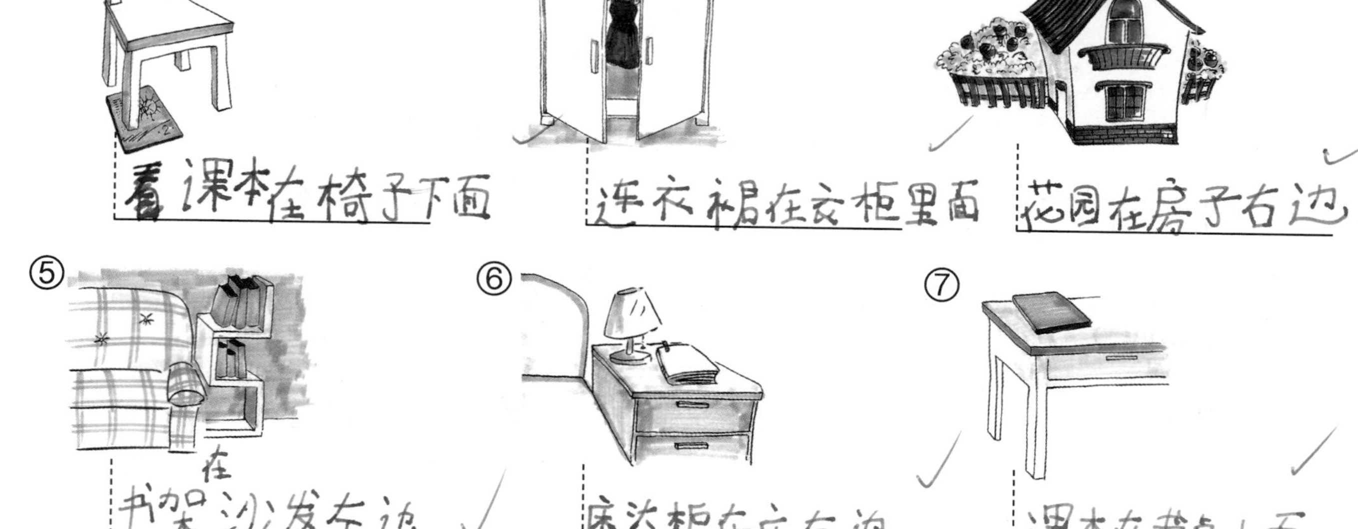

4 连词成句

1) 了 / 你们家 / 听说 / 搬家 / 。→ 你们家听说搬家了

2) 太 / 不 / 开心 / 他 / 今天 / 。→ 他今天不太开心

3) 搬进 / 了 / 上个星期 / 我们 / 新家 / 。→ 我们上个星期搬进了新家。

4) 床 / 是 / 左边 / 床头柜 / 的 / 一个 / 。→ 床的左边是一个床头柜

5) 房间 / 我的 / 挺 / 的 / 大 / 。→ 我的房间的挺大

6) 在 / 书桌 / 旁边 / 的 / 书架 / 。→ 书桌在书架的旁边

5 翻译

① There is a desk and a chair on the left side of the bed.

床的左边是一个椅子和一张书桌。

② My room is quite big.

我的房间的挺大！

③ There are textbooks and photo frames on the bookshelf.

书架上面有课本和相框。

④ There is a bookshelf opposite the wardrobe.

衣柜对面有书架。

⑤ I do homework in my room every day.

我每天都在房间里做作业。

⑥ I have my own room now.

我现在有自己的房间了。

⑦ My computer is on my desk.

我的电脑在我的书桌上。

⑧ I heard that you moved into a Western-style house yesterday.

我听说你昨天搬进了小洋房。

6 根据实际情况回答问题

1) 你们家今年会搬家吗？

我们家今年不会搬家。

2) 你们家现在住什么样的房子？

我们家现在住独立房。

3) 你们家的客厅大吗？

我们家的客厅很大。

4) 你们家有几间卧室？

我们家有八间卧室。

5) 你有自己的房间吗？

我有自己的房间。

6) 你的房间里有什么？

我的房间里有一个床和一个书桌。

7) 你一般在哪儿做作业？

我一般在我的房间做作业

8) 你家有车吗？谁会开车？

我家有车。我爸爸、妈妈和爷爷会开车。

7 阅读理解

我的好朋友周运上个星期搬家了。他们搬进了一幢楼房。昨天他请我去了他的新家。

周运的新家在十二楼。他家有三室两厅：他爸爸妈妈的卧室、他的卧室、书房、餐厅和客厅。他家有两间浴室，还有一个大厨房。

周运的卧室不大也不小，里面有床、衣柜、书架、书桌和椅子。他每天都在自己的房间里看书、上网、听音乐。他很喜欢他的房间。

回答问题：

1) 周运家搬到了哪儿？

一幢楼房

2) 他的新家在几层？

十二楼

3) 他的新家有几间卧室？

两个

4) 他的房间大不大？

不大也不小

5) 他的房间里有书架吗？

有

6) 他经常在自己的房间里做什么？

看书、上网、听音乐。

8 写短文

Write about your room. You should include:

- the type of housing you live in
- the location and size of your room
- what is in your room
- things you like to do in your room

9 阅读理解

中国地理

中国很大，是世界上第三大国。中国的面积是九百六十万平方公里。中国有二十三个省、五个自治区、四个直辖市和两个特别行政区。中国有十四个邻国，有俄罗斯、蒙古、朝鲜、越南、印度、尼泊尔等等。

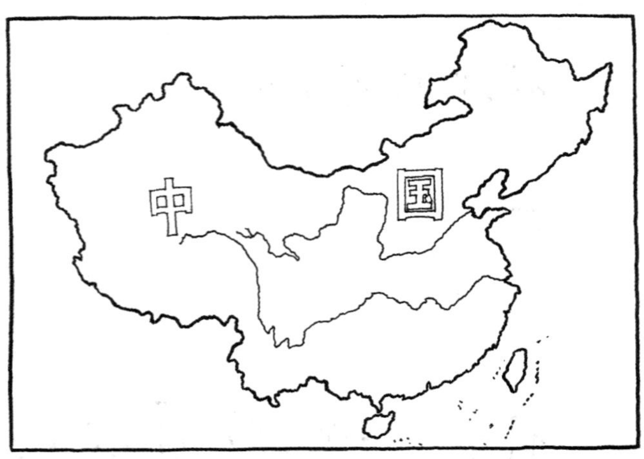

生词

1. 地理 (dì lǐ) geography
2. 世界 (shì jiè) world
3. 面积 (miàn jī) area
4. 平方 (píngfāng) square
5. 公里 (gōng lǐ) kilometre
6. 省 (shěng) province
7. 自治区 (zì zhì qū) autonomous region
8. 直辖市 (zhí xiá shì) municipality directly under the Central Government
9. 特别 (tè bié) special
10. 行政区 (xíngzhèng qū) administrative region
11. 邻国 (lín guó) neighbouring country
12. 蒙古 (měng gǔ) Mongolia
13. 朝鲜 (cháo xiǎn) D.P.R. Korea
14. 越南 (yuè nán) Vietnam
15. 印度 (yìn dù) India
16. 尼泊尔 (ní bó ěr) Nepal

A 填空

1) 中国是世界上 第三 大国。

2) 中国的面积是 九百六十万 平方公里。

3) 中国有 二十三 个省。

4) 中国有 十四 个邻国。

B 写意思

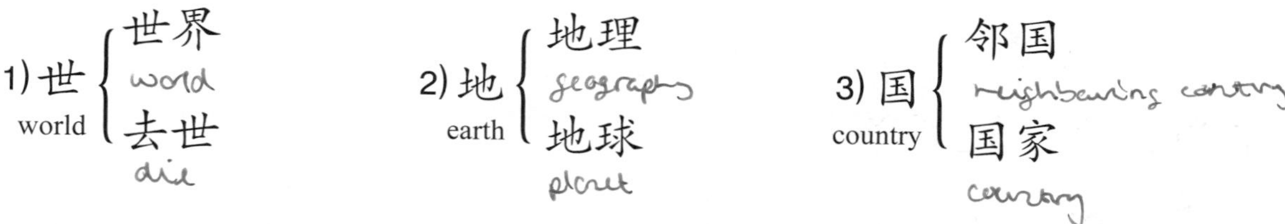

1) 世 world { 世界 world / 去世 die }

2) 地 earth { 地理 geography / 地球 planet }

3) 国 country { 邻国 neighbouring country / 国家 country }

C 填字母

[c] 1) 中国

[f] 2) 美国

[h] 3) 英国

[i] 4) 法国

[g] 5) 德国

[j] 6) 西班牙

[e] 7) 俄罗斯

[d] 8) 日本

[b] 9) 新加坡

[a] 10) 印度

课文 2

10 找出词语并写出意思

杂	餐	书	架	高
志	椅	桌	衣	兴
子	床	头	柜	服
洋	上	下	左	右
楼	房	面	旁	边

1) 上面 – Above
2) 下面 – Below
3) 左边 – left
4) 右边 – Right
5) 杂志 – magazine
6) 椅子 – chair
7) 书架 – bookshelf
8) 高兴 – happy
9) 衣柜 – wardrobe
10) 餐桌 – dining table
11) 洋房 – western-style house
12) 床头柜 – bedside table

11 看图写句子

①

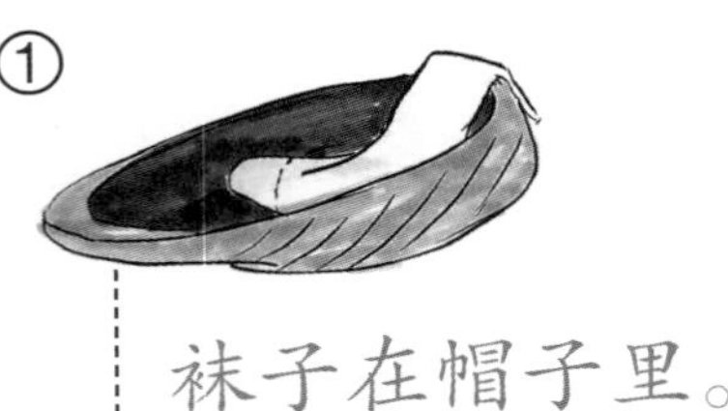

袜子在帽子里。

②

运动鞋在地上。

③

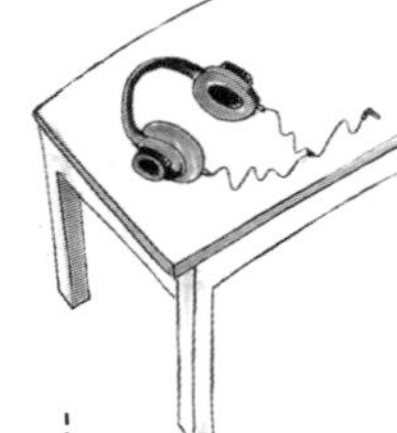

耳机在桌子上

④

手套在围巾的左边。

皮鞋在鞋柜里

⑥

毛衣在毛衣上面

毛套在椅子上面

2023.2.3.

12 用所给词语填空

furniture

个　所　家　双　条　套　顶　件　副

1) 一 __家__ 学校　　2) 五 __家__ 饭店　　3) 两 __条__ 牛仔裤

4) 一 __~~所~~个__ 书柜　　5) 一 __顶__ 帽子　　6) 一 __套__ 运动服

7) 十 __~~条~~双__ 袜子　　8) 一 __条__ 围巾　　9) 三 __件__ 连衣裙

10) 一 __双__ 皮鞋　　11) 一 __个__ 书包　　12) 一 __件__ T恤衫

13) 一 __~~顶~~件__ 毛衣　　14) 四 __副__ 手套　　15) 五 __双__ 运动鞋

13 翻译

① 上个月我们家搬进了一幢洋房。

Last year our family moved into a bungalow.

② We moved to Shanghai last week.

上个星期我们搬到上海。

③ 鞋柜里有十双运动鞋。

There are ten pairs of sneakers in the shoe cabinet.

④ There are six hats in the wardrobe.

衣柜里有六顶帽子。

⑤ 花园的左边是一个游泳池。

On the left of the garden is a swimming pool.

⑥ The garage is on the right side of the house.

房子的右边是一个车库

⑦ 这件毛衣太小了！

This sweater is too small!

⑧ This pair of gloves is too big!

这副手套太大了。

14 用所给词语填空

长　大　乱　高　短　高兴　忙　开心

1) 他的房间太 ____ 了！

2) 有了自己的房间，我太 ____ 了！

3) 她的头发很 ____。

4) 爸爸上个星期挺 ____ 的。他每天都很晚回家。

5) 那个书架太 ____ 了！

6) 他今天很 ____。

7) 这条裤子太 ____ 了！

8) 他家的房子挺 ____ 的，有六间卧室。

15 根据实际情况回答问题

1) 你的房间乱不乱？

2) 你的书桌上有什么？

3) 你的衣柜里有什么？

4) 你的鞋柜里有几双鞋？

5) 你一共有几顶帽子？

6) 你的房间里有电视吗？

7) 你有自己的电脑吗？

8) 你喜欢一边看书一边听音乐吗？

16 写反义词

1) 外→ ____　2) 小→ ____　3) 进→ ____　4) 下面→ ____

5) 瘦→ ____　6) 短→ ____　7) 白→ ____　8) 后面→ ____

9) 晚→ ____　10) 送→ ____　11) 上→ ____　12) 右边→ ____

17 圈出不同类的词

1) 皮鞋 袜子 衣柜 运动鞋
2) 围巾 电脑 手套 帽子
3) 对面 书包 书柜 书桌
4) 书架 衣柜 房间 床头柜
5) 房子 洋房 楼房 厨房
6) 沙发 卧室 客厅 客房
7) 对面 外面 前面 相框
8) 小说 课本 自己 杂志

18 组词

① 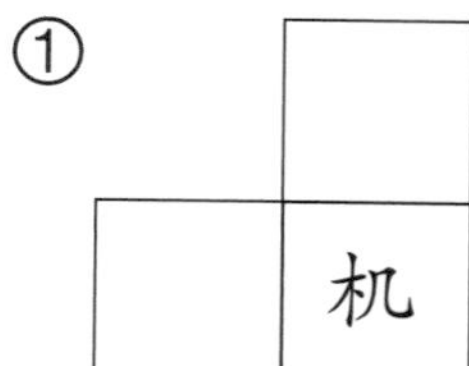
机

② 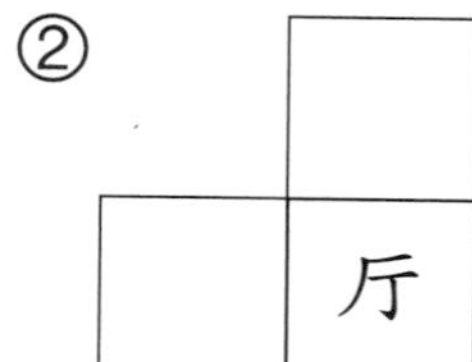
厅

③ 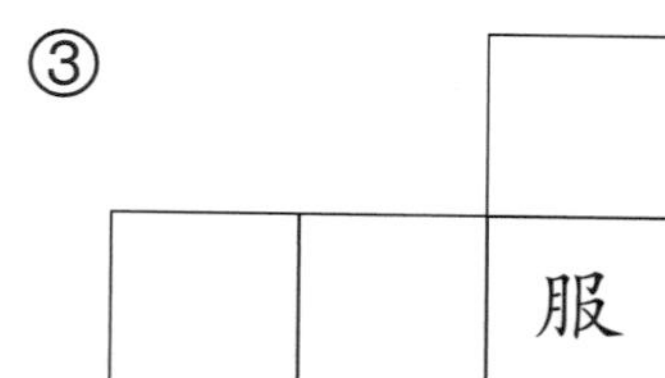
服

④ 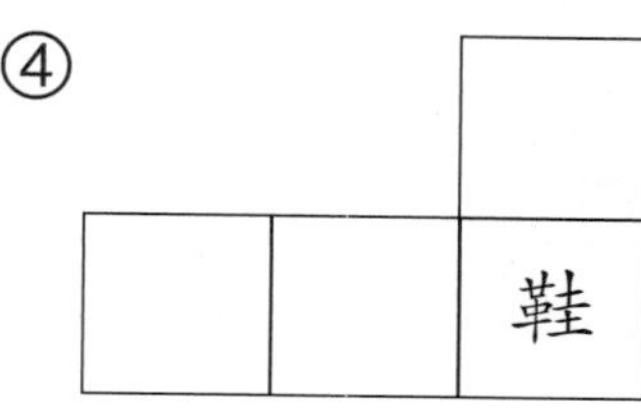
鞋

⑤ 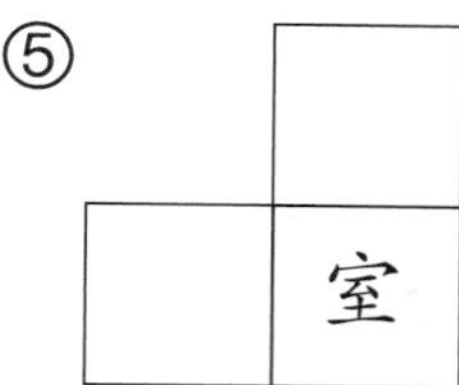
室

⑥ 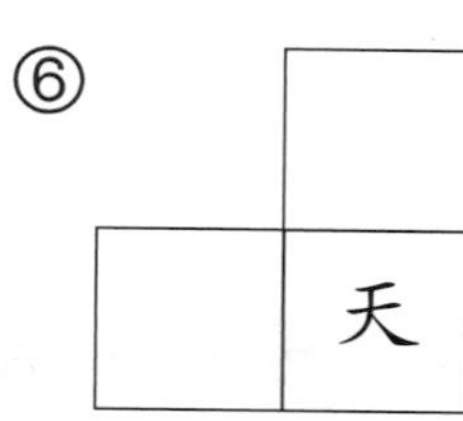
天

⑦ 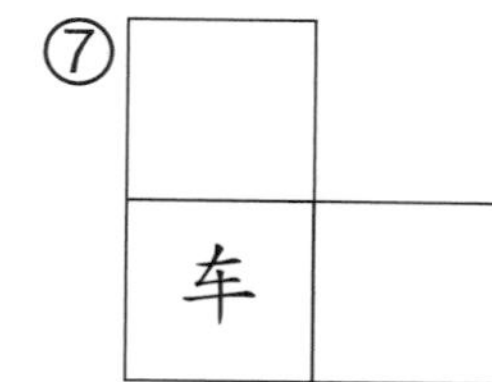
车

⑧ 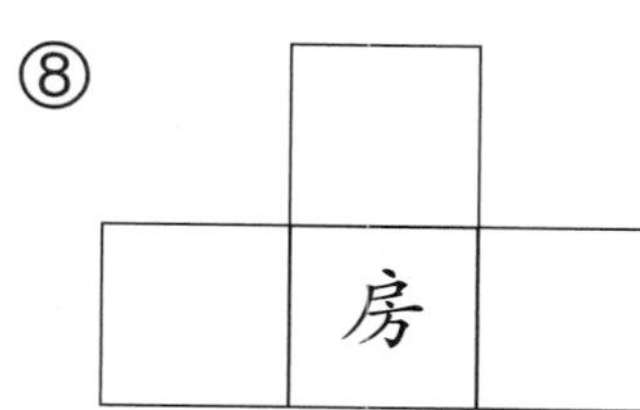
房

19 造句

1) 房间 太……了：

____

2) 听说 搬家：

____

3) 房子 一共：

____

4) 现在 自己：

____

5) 洋房 挺：

____

6) 书架 杂志：

____

20 完成对话

A: 你们家搬家了，对吗？

B: 对，我们家上个星期搬家了。我们搬进了一幢洋房。你来我家看看，好吗？

A: 好。你家现在住在哪儿？

B: ______

A: 我什么时候去你家？

B: ______

A: 我怎么去你家？

B: ______

A: 好。我们一会儿见！

B: ______

21 阅读理解

妈妈经常说哥哥的房间太乱了。

他的房间挺大的，但是有很多东西。地上有运动鞋、皮鞋、书包、足球等等。床上也有很多东西。他的T恤衫、运动服、衬衫和帽子都在床上。他的书和杂志在床头柜上。他的电脑、手机和耳机在书桌上。他的短裤和牛仔裤在椅子上。

从星期一到星期五，哥哥每天都做很多课外活动，没有时间(shí jiān)收拾房间。但是，他周末也不收拾房间。妈妈很不高兴。

回答问题：

1) 哥哥的房间大不大？

2) 在他的房间里，地上有什么？

3) 他的帽子在哪儿？

4) 他的书桌上有什么？

5) 为什么从星期一到星期五他不收拾房间？

6) 为什么妈妈很不高兴？

22 看图写短文

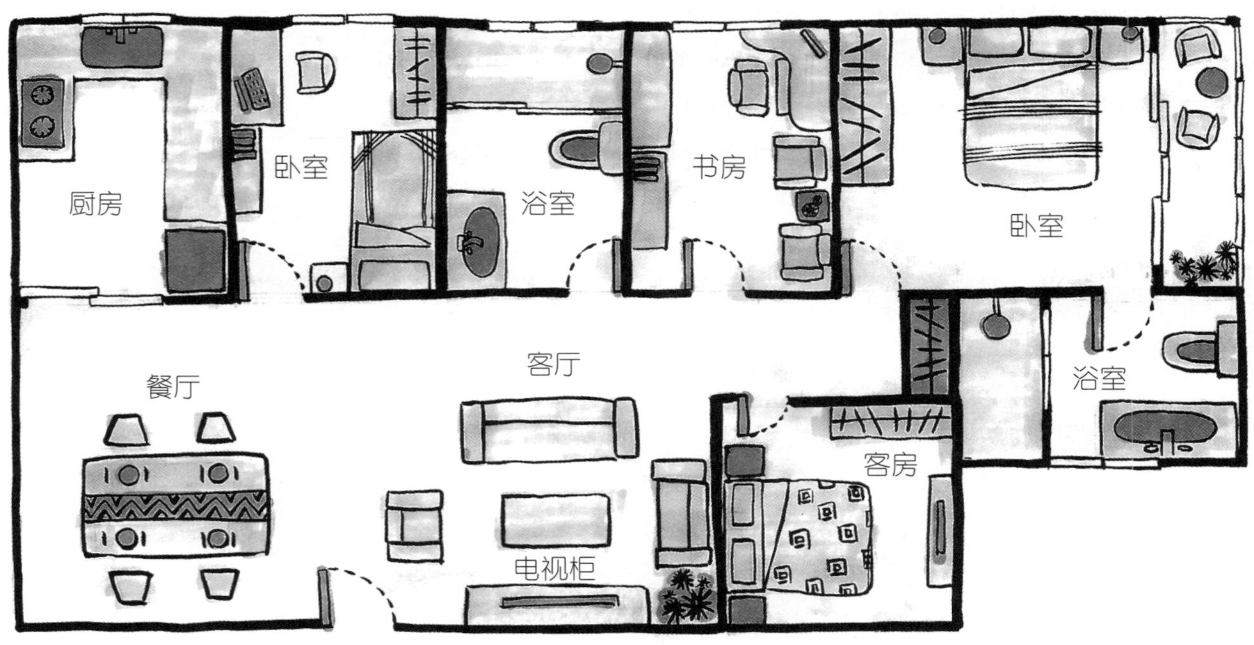

这是我的新家。

23 写意思

① 也：______ 池：______
② 园：______ 圆：______
③ 房：______ 放：______
④ 库：______ 裤：______
⑤ 见：______ 视：______
⑥ 那：______ 哪：______
⑦ 先：______ 洗：______
⑧ 昨：______ 作：______
⑨ 问：______ 间：______

24 写短文

Write about your room. You should include:

- the furniture you have in your room, and the location of the furniture
- whether your room is messy or not
- things on your floor, on your bookshelf, on your desk
- whether you like your room or not, and why

25 阅读理解

上海

上海是中国四个直辖市（北京、上海、天津、重庆）之一，是中国第一大城市，也是中国最大的工商业城市和港口城市。上海还是中国最大的国际化大都市。2020年，上海会成为国际金融、航运和贸易中心。

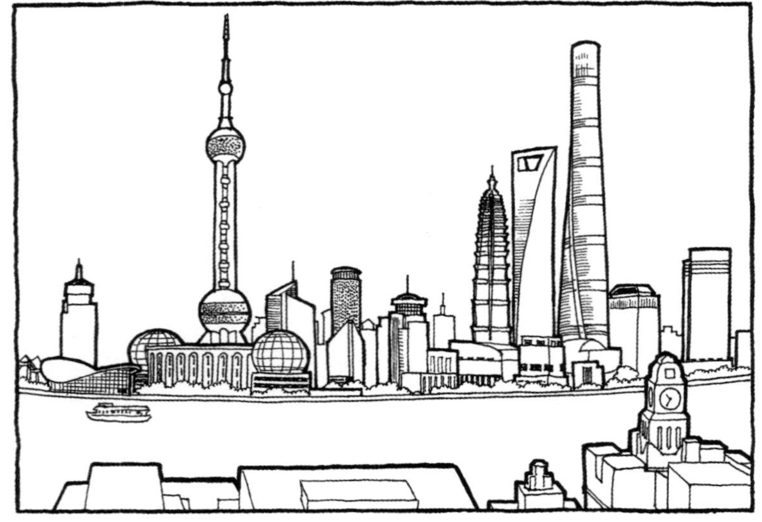

生词

1. tiān jīn 天津 Tianjin (a city in China)
2. chóngqìng 重庆 Chongqing (a city in China)
3. zhī yī 之一 one of
4. dì yī 第一 first
5. chéng shì 城市 city
6. gōng yè 工（业） industry
7. shāng yè 商（业） commerce
8. gǎng kǒu 港口 port; harbour
9. guó jì huà 国际化 internationalization
10. chéng wéi 成为 become
11. jīn róng 金融 finance
12. háng yùn 航运 shipping
13. mào yì 贸易 trade

A 填空

1) 上海是中国 ______ 个直辖市之一。

2) 上海是中国第一大 ______。

3) 上海是中国最大的 ______ 城市和 ______ 城市。

4) 上海是中国最大的 ______ 大都市。

5) 2020 年，上海会成为国际 ______、______ 和 ______ 中心。

B 写意思

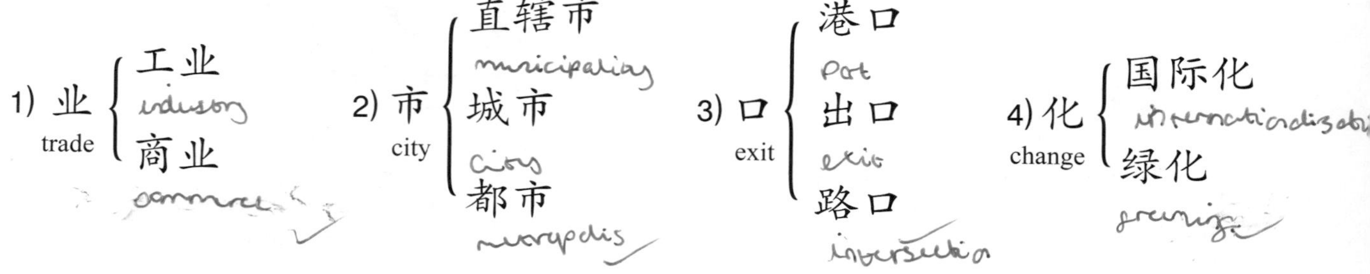

C 填字母

☐ 1) 北京　　☐ 2) 上海

☐ 3) 天津　　☐ 4) 重庆

D 模仿例子英译汉

1) 例子：上海是中国四大直辖市之一。

Hong Kong is one of the biggest ports in China.

2) 例子：2020 年，上海会成为国际金融中心。

My family will move to Beijing next year.

第三课　我的一日三餐

课文 1

1 看图写句子

会打

网球、冰球，我都会打。

② 

喜欢喝

果汁，可乐，我都

⑤ 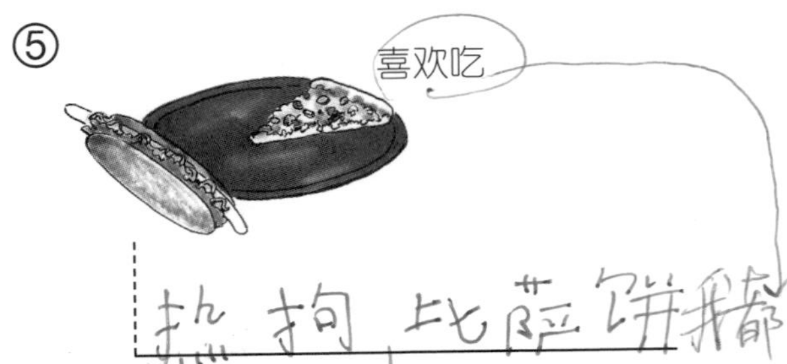

喜欢吃

热狗，比萨饼我都

③ 

会做

炒饭，炒面我都

⑥ 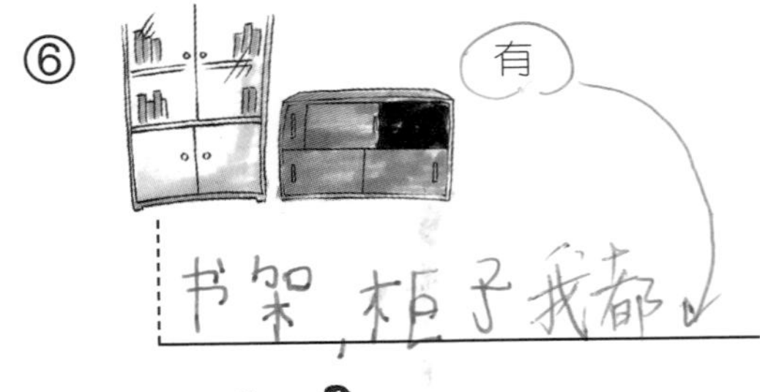

有

书架，柜子我都

④ 

喜欢看

课本，小说我都

⑦ 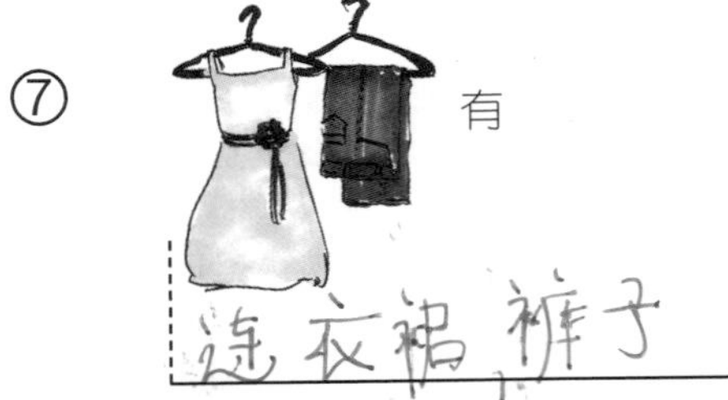

有

连衣裙，裤子

2 组词

1) 面包	2) 鸡蛋	3) 牛奶	4) 果汁	5) 西餐
6) 汽水	7) 热狗	8) 盒饭	9) 快餐	10) 炒面
11) 可乐	12) 水果	13) 零食	14) 中餐	15) 做饭

3 用所给词语填空

or (4) or (5)

还是 或者

1) 你喜欢吃中餐 还是 西餐？

2) 我早餐吃面包 或者 炒面。

3) 你晚饭想在家里吃 还是 去饭店吃？

4) 你可以看小说 或者 杂志。

5) 你家住楼房 还是 洋房？

6) 爸爸今天 或者 明天会去上海。

4 完成句子

1) 我的衣柜里有很多衣服，比如 ____________________

2) 我的书架上有很多书，比如 ____________________

3) 我的鞋柜里有很多鞋，比如 ____________________

4) 路上有很多车，比如 ____________________

5) 我今年做很多课外活动，比如 ____________________

5 根据实际情况回答问题

1) 你早饭喝牛奶还是果汁？

2) 你午饭吃热狗还是三明治？

3) 你家晚饭吃中餐还是西餐？

4) 你经常吃快餐吗？

5) 你喜欢吃中餐还是西餐？

6) 你喜欢吃炒饭还是炒面？

7) 你会做饭吗？你会做什么？

8) 你会做炒鸡蛋吗？

6 组词

1) 楼房→ ______　　2) 炒面→ ______　　3) 餐桌→ ______

4) 皮鞋→ ______　　5) 牛奶→ ______　　6) 盒饭→ ______

7) 水果→ ______　　8) 快餐→ ______　　9) 上课→ ______

10) 医生→ ______　　11) 学校→ ______　　12) 起床→ ______

7 翻译

① 你喜欢住楼房还是洋房？

② Do you eat sandwich or pizza for your lunch?

③ 炒饭、炒面，我都会做。

④ I like both Chinese food and Western food.

⑤ 哥哥这个周末或者下个周末会去北京。

⑥ I drink milk or juice for breakfast.

⑦ 我今年做很多课外活动，比如游泳、踢足球、打网球。

⑧ There are a lot of clothes in the wardrobe, such as sweaters, shorts and jeans.

8 猜词语的意思

1) 餐车：______　　2) 冰鞋：______　　3) 厨师：______　　4) 橙汁：______

5) 短裙：______　　6) 校园：______　　7) 公园：______　　8) 衣架：______

9 阅读理解

我叫王洋，我是中国人。

我们家早饭一般吃西餐。面包、鸡蛋、水果，我们都经常吃。我们家晚饭常常吃中餐，比如炒面、炒饭、炒菜、蒸鱼、米饭。我妈妈做的蒸鱼很好吃。

从星期一到星期五，我在学校吃午饭。我一般吃热狗或者比萨饼，有时候也吃三明治或者盒饭。我爸爸和妈妈都工作。他们一般跟朋友去饭店吃午饭。

周末我们家一般去饭店吃午饭。我们一般吃中餐，有时候也吃西餐或者快餐。

回答问题：

1) 王洋家早饭吃中餐还是西餐？

2) 他家晚饭吃中餐还是西餐？

3) 他从星期一到星期五在哪儿吃午饭？

4) 他午饭常吃三明治吗？

5) 他爸爸妈妈从星期一到星期五在哪儿吃午饭？

6) 他家周末一般在哪儿吃午饭？他们一般吃什么？

10 连词成句

1) 喝／果汁／早饭／我／牛奶／或者／。→ ____________________

2) 晚饭／或者／炒面／他／炒饭／吃／。→ ____________________

3) 一般／我／快餐／午饭／吃／。→ ____________________

4) 中餐、／我／西餐，／喜欢／吃／都／。

→ ____

11 写短文

Write about your daily routine. You should include:

- what time you get up
- when you eat your breakfast and what you eat
- when you go to school and how
- where and when you eat your lunch and what you eat
- what activities you do after school
- when and what you eat for dinner

12 阅读理解

中国的人口和民族

中国是世界上人口最多的国家。中国有大约十三亿人。中国有五十六个民族，有汉族、壮族、回族、藏族等等。其中，汉族的人口最多，大约占全国人口的百分之九十二。中国有八十多种方言。不同的民族使用不同的方言，普通话是各个民族共同使用的语言。

生词

1. rén kǒu 人口 population
2. mín zú 民族 nation
3. dà yuē 大约 about
4. yì 亿 a hundred million
5. hàn zú 汉族 Han nationality
6. zhuàng zú 壮族 Zhuang nationality
7. huí zú 回族 Hui nationality
8. zàng zú 藏族 Tibetan nationality
9. qí zhōng 其中 among
10. zhàn 占 make up
11. quán guó 全国 the whole nation
12. bǎi fēn zhī 百分之 percent
13. zhǒng 种 kind
14. fāng yán 方言 dialect
15. shǐ yòng 使用 use
16. gè 各 all; every
17. gòngtóng 共同 common

A 填空

1) 中国是世界上人口 ________ 的国家。

2) 中国有大约 ________ 人。

3) 中国有 ________ 个民族。

4) 汉族的人口大约占全国人口的 ________。

5) 中国有 ________ 多种方言。

6) ________ 是各个民族共同使用的语言。

B 用中文写数字

1) 67,500 ____________________

2) 94,283 ____________________

3) 1,200,000,000 ____________________

4) 25% ____________________

C 写意思

1) 用 (use) { 使用 / 常用 }

2) 同 (same) { 不同 / 同学 }

3) 言 (speech) { 方言 / 语言 }

D 翻译

1) 在我们学校，中国学生占百分之六十。

2) 上海话是一种方言。

3) 你会说几种方言？

E 模仿例子英译汉

1) 例子：其中，汉族的人口最多。

My elder brother is the tallest in my family.

2) 例子：中国有八十多种方言。

There are more than 40 T-shirts in my wardrobe.

课文 2

13 词语归类

1) 面包	2) 炒菜	3) 热狗	4) 炒面	5) 牛排	6) 比萨饼
7) 炒饭	8) 米饭	9) 蒸鱼	10) 包子	11) 鸡汤	12) 猪排饭
13) 三明治	14) 小笼包	15) 牛肉饭	16) 粥		

中餐	西餐	快餐

14 完成句子

我叫小双。我们家早饭一般吃 ________，喝 ________。

1) milk 2) juice 3) bread 4) egg
5) small steamed meat dumplings

我叫乐乐。我们家早饭一般吃 ________，喝 ________。

1) congee 2) fried noodles 3) yoghurt
4) steamed stuffed bun 5) fruit

15 就所给偏旁写出汉字及意思

1) 巾：帽 hat
2) 广：____ ________
3) 走：____ ________
4) 饣：____ ________
5) 扌：____ ________
6) 攵：____ ________

16 找出词语并写出意思

猪	排	中	水	果
牛	肉	西	餐	汁
酸	奶	好	鸡	蛋
蒸	吃	炒	菜	汤
鱼	米	饭	面	包

1) ________ 7) ________

2) ________ 8) ________

3) ________ 9) ________

4) ________ 10) ________

5) ________ 11) ________

6) ________ 12) ________

17 造句

niú 牛: cow, ox. wǔ 午: noon

1) 总是　中餐：

我总是牛饭吃中餐比如炒面。

2) 常常　盒饭：

我常常牛饭吃盒饭

3) 一般　西餐：

我们家一般晚饭吃西餐

4) 周末　或者：

周末我踢足球或者打网球

5) 快餐　比如：

周末我一般吃快餐比如热狗

6) 还是　鱼：

你喜欢吃鱼肉还是鸡肉？

18 组词

1) 楼房→ ________ 2) 对面→ ________ 3) 快餐→ ________

4) 书桌→ ________ 5) 学校→ ________ 6) 看书→ ________

7) 放学→ ________ 8) 水果→ ________ 9) 课外→ ________

10) 然后→ ________ 11) 汉语→ ________ 12) 女生→ ________

19 选择

1) 我早饭一般吃中餐。我常常喝 ____，吃 ____。
   a) 粥；小笼包或者炒鸡蛋
   b) 酸奶；三明治或者面包

2) 我妈妈做的中餐很好吃。她经常做 ____。
   a) 三明治、面包、牛排
   b) 炒菜、蒸鱼、米饭

3) 我午饭吃快餐。我会吃 ____，喝 ____。
   a) 包子或者炒饭；汤
   b) 热狗或者比萨饼；可乐

4) 我不吃肉。我不吃 ____。
   a) 面包、米饭、炒菜
   b) 猪肉、牛肉、小笼包

20 造句

1) 喜欢：
____

2) 不太喜欢：
____

3) 很喜欢：
____

4) 很不喜欢：
____

5) 最喜欢：
____

6) 最不喜欢：
____

21 用所给词语填空

太　最

1) 我 ____ 喜欢踢足球。

2) 弟弟的房间 ____ 乱了！

3) 我不 ____ 喜欢吃快餐。

4) 您做的包子 ____ 好吃了！

5) 她不 ____ 喜欢做饭。

6) 妈妈 ____ 喜欢吃蒸鱼。

22 连词成句

1) 总是 / 早饭 / 奶奶 / 吃 / 中餐 / 。→ ______

2) 一般 / 在学校 / 我 / 午饭 / 吃 / 。→ ______

3) 去 / 经常 / 出差 / 香港 / 爸爸 / 。→ ______

4) 好吃 / 做 / 妈妈 / 的 / 饭菜 / 很 / 。→ ______

5) 一边 / 上网 / 听音乐 / 一边 / 哥哥 / 喜欢 / 。

→ ______

23 看图写词

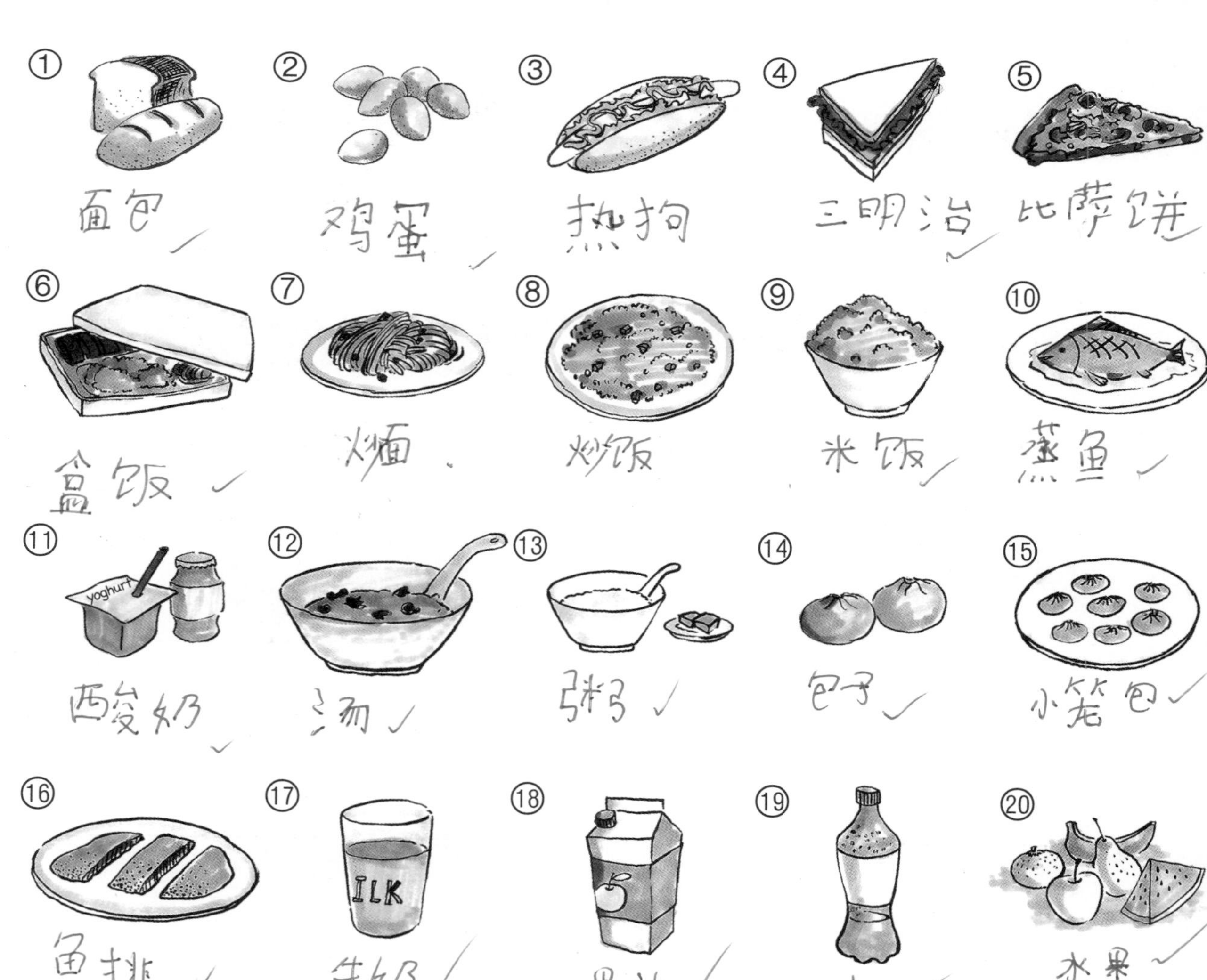

24 用所给词语填空

几　为什么　谁　什么　哪　多大　哪儿　怎么　什么样　多少

1) 今天我们去 ______ 吃晚饭？

2) 你午饭吃了 ______ ？

3) 你们家 ______ 做的饭菜最好吃？

4) ______ 你的房间总是很乱？

5) 你哥哥今年 ______ 了？

6) 放学以后你 ______ 回家？

7) 你在 ______ 所学校上学？

8) 你姐姐长 ______ ？

9) 你的手机号码是 ______ ？

10) 爸爸今天 ______ 点下班？

25 完成对话

1) A: 请进！请坐！

B: ______________________

2) A: 对不起，我不想喝汽水。

B: ______________________

3) A: 你想几点回家？

B: ______________________

4) A: 请吃点儿水果！

B: ______________________

5) A: 你妈妈在家吗？

B: ______________________

6) A: 我们晚饭吃中餐还是西餐？

B: ______________________

7) A: 你家有几间卧室？

B: ______________________

8) A: 你奶奶做的哪个菜最好吃？

B: ______________________

26 阅读理解

我们家周末常常去饭店吃饭。我爸爸妈妈都是上海人，很喜欢吃上海菜。我们总是去“大上海饭店”吃饭。

这家饭店不太大，但是有很多好吃的菜，比如小黄鱼、鸡汤、小笼包、红烧肉、黄金饼等等。我最喜欢吃那里的小笼包。

周末去大上海饭店吃饭的人很多。我们去那里吃饭要先等座位，有时候要等半个小时。我常常一边等座位一边玩儿手机。

回答问题：

1) 为什么他爸爸妈妈喜欢吃上海菜？

2) 他们常去的饭店叫什么名字？

3) 那家饭店大不大？

4) 那家饭店有什么好吃的菜？

5) 在那家饭店，他最喜欢吃什么？

6) 周末去那家饭店吃饭的人多吗？

7) 等座位的时候他一般会做什么？

27 翻译

① the skirt that my younger sister wears
我的妹妹穿的裙子

② the steamed fish that mum cooks
我的妈妈做的蒸鱼 ✓

③ the car that dad drives
爸爸开的车 ✓

④ the beef that his elder brother cooks
他的哥哥做的牛肉 ✓

⑤ the congee that grandma eats
奶奶吃的粥 ✓

⑥ the pair of leather shoes that he wears
他穿的那双皮鞋 ✓

28 写短文

Write about your eating habit. You should include:

- what you eat for three meals from Monday to Friday
- whether your family eats out over the weekend
- what restaurant(s) your family usually goes to
- what your favourite food/drinks are

29 阅读理解

汉语和汉字

汉语（国语、华语）是世界上最古老的、使用时间最长的语言之一。汉语有很大的影响力，是联合国的六大工作语言之一。汉字有四千多年的历史。最早的汉字是甲骨文。现在的汉字有简体字和繁体字。现在常用的汉字大约有三千八百个。

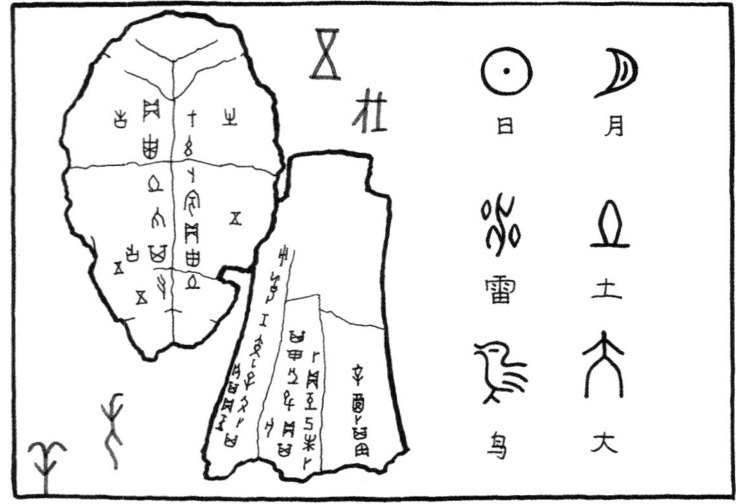

生词

1. hàn zì 汉字 Chinese character
2. guó yǔ 国语 Chinese (language)
3. huá yǔ 华语 Chinese (language)
4. gǔ lǎo 古老 ancient
5. shí jiān 时间 time
6. yǐng xiǎng 影响 affect; influence
7. lì 力 power; strength
8. lián hé guó 联合国 the United Nations
9. jiǎ gǔ wén 甲骨文 script on tortoise shells or animal bones
10. jiǎn tǐ zì 简体字 simplified Chinese character
11. fán tǐ zì 繁体字 the original complex form of a simplified Chinese character
12. cháng yòng 常用 in common use

A 填空

1) 汉语又叫 ________、________。

2) 汉语是世界上最 ________、使用时间最 ________ 语言之一。

3) 汉语是 ________ 的六大工作语言之一。

4) 汉字有 ________ 的历史。

5) 最早的汉字是 ________。

6) 现在的汉字有 ________ 和 ________。

7) 现在常用的汉字大约有 ________ 个。

B 写意思

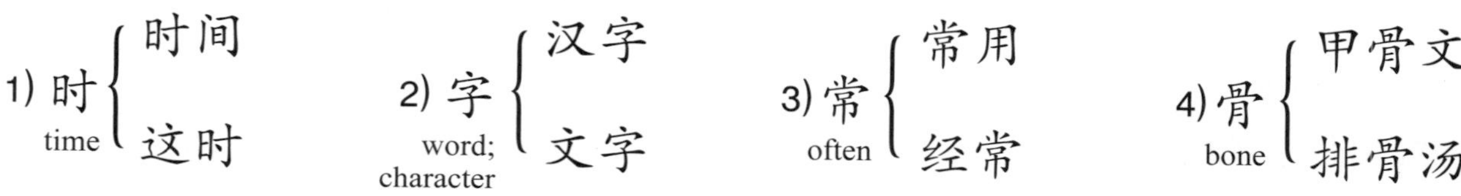

C 模仿例子英译汉

1) 例子：汉语是世界上最古老的语言之一。

Shanghai is one of the biggest cities in the world.

2) 例子：现在常用的汉字大约有三千八百个。

There are about 1,500 students in my school.

D 配对

I

c	1) 见	a) 車
	2) 马	b) 長
	3) 开	c) 見
	4) 车	d) 兒
	5) 长	e) 開
	6) 儿	f) 馬

II

	1) 学	a) 飛
	2) 国	b) 樂
	3) 医	c) 畫
	4) 乐	d) 學
	5) 飞	e) 醫
	6) 画	f) 國

第一单元 复 习

第一课

课文 1 搬 搬家 幢 楼 书房 楼房 一共 层 新 间 房间 卧室
客厅 餐厅 厨房 浴室

课文 2 洋房 花园 车库 游泳池 房子 外面 前面 后面 有 左边
右边 洗手间 沙发 里面 餐桌 椅子 客房

第二课

课文 1 听说 楼上 楼下 自己 高兴 开心 挺 柜子 床头柜 衣柜
书桌 电脑 书架 上面 下面 对面 旁边 是 课本 小说
杂志 相框

课文 2 乱 书包 书柜 鞋子 运动鞋 鞋柜 皮鞋 袜子 双 围巾
条 运动服 套 手套 帽子 顶 副 件 桌子 耳机 地上
为什么

第三课

课文 1 中餐 西餐 快餐 面包 面条 鸡蛋 牛奶 果汁 或者 还是
热狗 三明治 比萨饼 比如 炒面 炒饭 盒饭 可乐 做饭

课文 2 酸奶 常常 肉 猪肉 牛肉 最 猪排 米饭 炒菜 蒸 鱼 汤
粥 包子 总是 饭菜 好吃 那里 小笼包

句型：

1) 我们家上个周末搬家了。

2) 你们搬到哪儿了？

3) 我们搬进了一幢楼房。

4) 我们的房子前面有一个小花园，
房子后面有一个大花园。

5) 车库在房子左边，游泳池在房子右边。

6) 我的房间挺大的。

7) 床的对面是衣柜。

8) 妈妈说我的房间太乱了。

9) 中餐、西餐，我都喜欢吃。

10) 我喝牛奶或者果汁。

11) 你喜欢吃中餐还是西餐？

12) 他们做的饭菜很好吃。

问答：

1) 你们家搬家了，对吗？　对，我们家上个周末搬家了。

2) 你们家搬到哪儿了？　我们搬进了一幢楼房。

3) 那幢楼房一共有多少层？　有二十五层。

4) 你们的新家在几楼？　在十八楼。

5) 你们的新家有几间卧室？　有四间卧室，还有一个书房、一个客厅、一个餐厅、一个厨房和三间浴室。

6) 你现在有自己的房间了吗？　有了。

7) 你的房间大不大？　挺大的。我的房间里有床、床头柜、书桌等等。

8) 你的书架上有什么？　书架上有课本、小说、杂志和相框。

9) 你每天都吃午饭吗？　对，我每天都吃。

10) 你早饭吃什么？　我吃面包、鸡蛋，喝牛奶或者果汁。

11) 你午饭吃什么？　我一般吃快餐，比如热狗、三明治、比萨饼。

12) 你们家晚饭吃什么？　中餐、西餐，我们都吃。

13) 你喜欢吃中餐还是西餐？　中餐、西餐，我都喜欢吃。

14) 你会做饭吗？　我不会，但是我想学。

第一单元 测 验

1 找同类词语填空

1) 沙发 ______ ______

2) 围巾 ______ ______

3) 果汁 ______ ______

4) 米饭 ______ ______

5) 猪肉 ______ ______

6) 热狗 ______ ______

7) 上面 ______ ______ ______ ______ ______ ______

8) 卧室 ______ ______ ______ ______ ______ ______

2 写反义词

1) 进→ ______

2) 胖→ ______

3) 大→ ______

4) 早→ ______

5) 上面→ ______

6) 里面→ ______

7) 前面→ ______

8) 左边→ ______

3 连词成句

1) 上个周末 / 了 / 我们家 / 搬家 / 。→ ______

2) 进 / 一幢洋房 / 我们 / 搬 / 了 / 。→ ______

3) 花园 / 有 / 后面 / 我家的房子 / 一个 / 。→ ______

4) 喜欢 / 你 / 中餐 / 西餐 / 还是 / 吃 / ? → ______

5) 说 / 太 / 了 / 乱 / 妈妈 / 我的房间 / 。→ ______

6) 有 / 十八层 / 楼房 / 一共 / 那幢 / 。→ ______

4 用所给词语填空

双　件　顶　套　家　个　副　条　间　幢

1) 一 个 面包　2) 五 家 公司　3) 一 条 围巾　4) 一 ~~套~~ 双 运动鞋

5) 一 间 卧室　6) 一 副 手套　7) 一 顶 帽子　8) 一 件 连衣裙

9) 一 ~~条~~ 双 袜子　10) 一 ~~套~~ 副 耳机　11) 一 件 衬衫　12) 一 套 运动服

13) 一 间 浴室　14) 一 幢 楼房　15) 一 个 鸡蛋　16) 一 家 律师行

5 用所给汉字组词

衣　椅　桌　肉　中　脑　包　间

话　西　架　客　面　鞋　饭　排

① 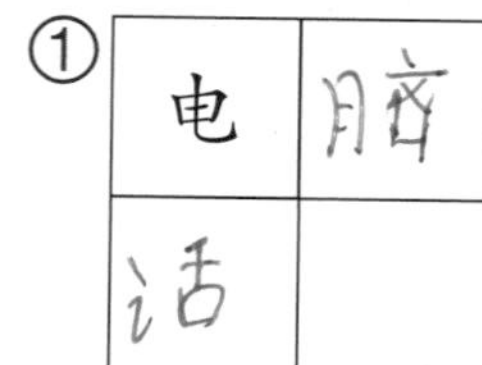
电脑 / 电话

② 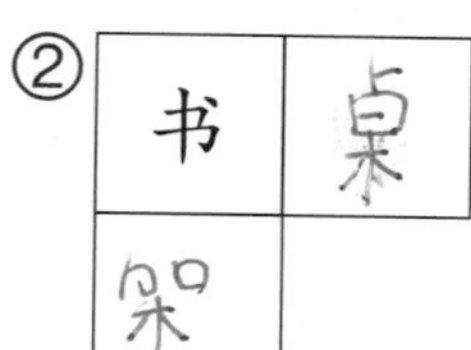
书桌 / 书架

③ 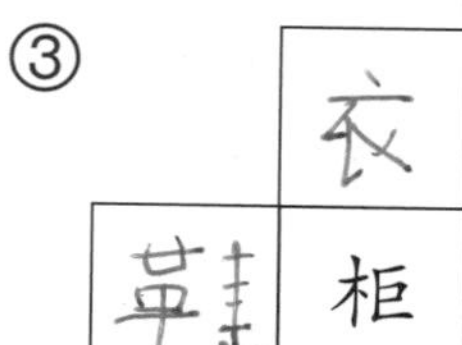
衣柜 / 鞋柜

④ 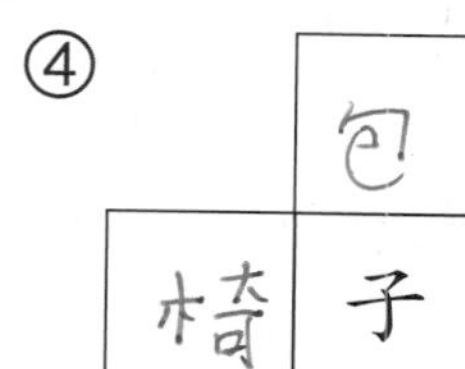
包子 / 椅子

⑤ 炒饭 / 炒面

⑥ 
猪排 / 猪肉

⑦ 
中餐 / 西餐

⑧ 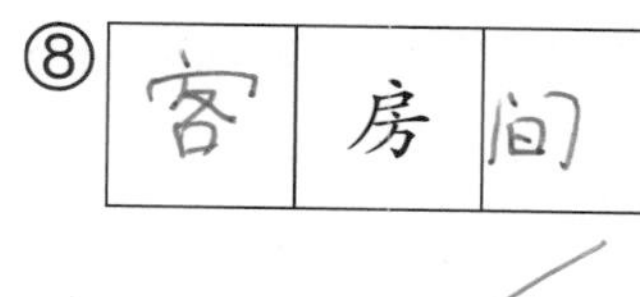
客房 / 房间

6 根据实际情况回答问题

1) 你们家住楼房还是洋房？
Does your family live in a tower building or a western-style house?

2) 你们家的客厅大吗？
Is your family's living room big?

3) 你的房间里有什么？
What do you have in your room?

4) 你早饭一般吃什么？
What do you usually eat for breakfast?

5) 你午饭一般在哪儿吃？
Where do you usually eat lunch?

6) 你们家晚饭吃中餐还是西餐？
Does your family eat western food or chinese food for dinner?

7 看图完成句子

① 

右边 是 书桌 ✓

② 

上面 有 小说 ✓

③ 

游泳池 在 左边 ✓

④ 

右边 是 衣柜 ✓

⑤ 

前面 有 鞋子 ✓

⑥ 

书架 在 后面 ✓

8 翻译

1) I heard that you have your own room now.

我听说你有自己的房间了。✓

2) I heard that your family moved into a Western-style house.

我听说你的家搬到了一幢洋房

3) I like to eat both Chinese and Western food.

中餐或者西餐，我都喜欢吃 ✓

4) I eat congee or steamed stuffed buns for breakfast.

我早饭吃粥或者包子 ✓

5) I drink milk or juice at breakfast.

我早饭喝牛奶或者果汁。✓

6) Would you like to eat fried rice or fried noodles?

你想吃炒饭还是炒面？✓

7) Why is your box meal on the floor?

为什么你的盒饭在地上？✓

8) The steamed fish that my mum cooks is very delicious.

我妈妈做的蒸鱼很好吃。✓

9 造句

1) 做　最：

我妈妈做的菜最好吃 ✓

2) 中午　总是：

我总是中午吃午饭。✓

3) 常常　那里：

我们周末常常在那里吃饭 ✓

4) 还　做饭：

你还会做饭吗？✓

10 阅读理解

王书文是我的好朋友。他们家上个星期六搬家了，搬到了我们小区。我非常高兴，我们现在住在同一个小区，可以每天都见面(jiàn miàn)了。

我今天去了她的新家。她现在有自己的房间了，但是她的房间还很乱。她的房间里有一个衣柜，但是她的衣服都在床上和椅子上。她的书桌很大。书桌上有书包、电脑、手机、课本、相框等。在她的房间里，地上也有很多东西，有皮鞋、耳机、手套、帽子等等。她说她今天晚上不能睡在自己的床上，她得(děi)睡在客厅里的沙发上。

判断正误：

☒ 1) 王书文家上个周末搬家了。

☒ 2) 她和王书文现在住在同一幢楼房里。

☑ 3) 她昨天去了王书文家。

☑ 4) 王书文的房间很乱。

☒ 5) 王书文的衣服都在地上。

☒ 6) 王书文的房间里有一个大大的书桌。

☒ 7) 王书文的皮鞋在鞋柜里。

☒ 8) 王书文今天晚上会睡在客房里。

11 写短文

Write about your experience of eating out. You should include:

- name and location of the restaurant
- type of food the restaurant serves
- what you ate and drank
- how was the food
- your favourite food

第四课　我秋天去北京

课文 1

1 找出词语并写出意思

以	上	做	去	今
下	午	饭	年	星
雨	雪	秋	期	季
怎	晴	天	冬	节
那	么	气	刮	风

1) ________
2) ________
3) ________
4) ________
5) ________
6) ________
7) ________
8) ________
9) ________
10) ________
11) ________
12) ________

2 用所给词语填空

左边　外面　以上　以下　左右　以前　以后　里面

1) 在中国，十八岁 ________ 的人可以开车。

2) 上海今天晴天，气温在三十五度 ________。

3) 北京的冬天很冷，气温常常在零度 ________。

4) ________ 下雨了。我们在房间里看电视吧！

5) 到家 ________，我先吃点儿零食，然后开始做作业。

6) 睡觉 ________，弟弟一般会看一会儿书。

7) 卧室 ________ 有衣柜、床、书桌和椅子。

8) 洋房的 ________ 有一个很大的车库。

3 翻译

①

one week	two weeks	four weeks	six weeks

②

one month	two months	three months	five months

③

one day	three days	ten days	twenty days

④

one year	eight years	fifteen years	thirty years

4 就划线部分提问

1) 北京今天是晴天。

（怎么样）

今天北京天气怎么样？

2) 爸爸明天去广州出差。

（什么时候）

你爸爸什么时候去广州出差？

3) 北京的春天气温在十五度左右。

（多少度）

北京的春天气温多少度？

4) 我妈妈每天都走路上班。

（怎么）

你妈妈每天都怎么上班？

5) 他哥哥长得高高的、瘦瘦的。

（什么样）

他哥哥长什么样？

6) 我家的电话号码是25480062。

（多少）

你家的电话号码多少？

5 看图写句子

① 北京今天是晴天，气温在三十五度左右。

② 上海今天下雨，气温在三十~三十三度左右。

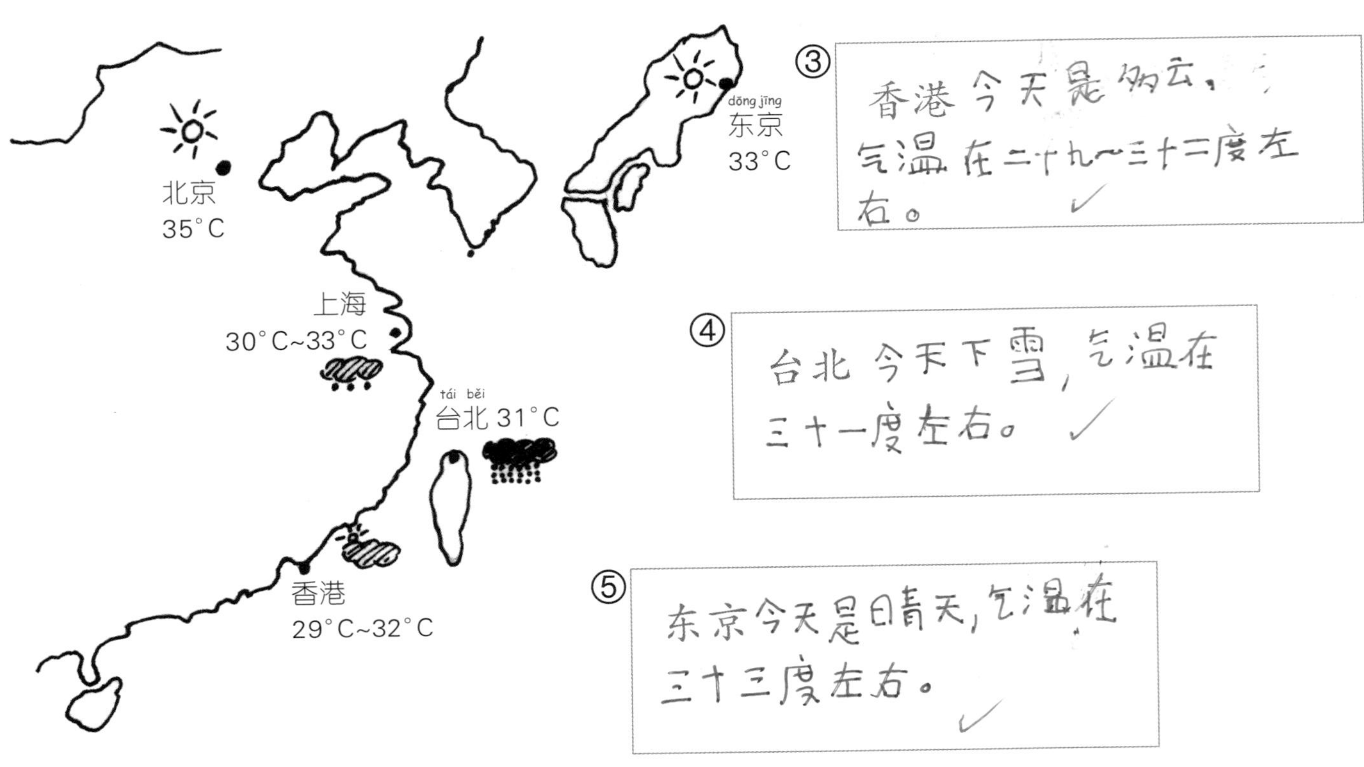

③ 香港今天是多云，气温在二十九~三十二度左右。

④ 台北今天下雪，气温在三十一度左右。

⑤ 东京今天是晴天，气温在三十三度左右。

6 组词

1) 以下→下面 2) 夏天→天气 3) 以上→上面 4) 去年→年级

5) 左右→右边 6) 炒面→面条 7) 米饭→饭店 8) 水果→果汁

9) 西餐→餐厅 10) 楼房→房子 11) 毛衣→衣服 12) 书包→包子

13) 课外→外面 14) 汉语→语言 15) 同学→学校 16) 秘书→书架

7 翻译

1) 妈妈在这所学校工作了二十年。

My mum has worked in this school for 10 years.

2) 我下午睡了一个小时。

I slept for 1 hour in the afternoon.

3) 爸爸在那家银行工作了五年。

My dad has worked in that bank for 5 years.

4) 我们在这里住了十年。

We have lived here for 10 years.

8 阅读理解

天津一年有四个季节：春天、夏天、秋天和冬天。

在天津，三月到五月是春天。天津的春天有时候会刮风、下雨，气温在十度到二十度之间。六月到八月是夏天。在天津，七月和八月最热，气温常常在三十度以上，最高气温会到三十八度。九月到十一月是秋天。天津的秋天天气最好，不冷也不热，气温一般在十五度到二十五度之间，还常常是晴天。十二月到二月是冬天。天津的冬天很冷，气温常常在零度以下，有时候会到零下十五度，还常常刮风、下雪。

回答问题：

1) 天津的春天一般多少度？

十度到二十度之间

2) 天津哪个月最热？

七月和八月。

3) 天津的夏天最高气温会到多少度？

三十八度

4) 天津的秋天天气怎么样？

常常是晴天

5) 天津的冬天冷不冷？

很冷

6) 天津的冬天会下雪吗？

下雪

7) 哪个季节去天津最好？

秋天

9 翻译

1) It is sunny this morning, and there will be rain in the afternoon. The temperature today is around 32℃.

今上午晴天，下午会下雨。今天气温三十二度左右。

2) There will be rain tomorrow. The temperature will be around 25℃. It will be windy this coming weekend.

请天会下雨，气温二十五度左右。今周末会刮风。

10 阅读理解

中国的历史

中国有五千多年的历史，是世界四大文明古国之一。中国统一以后的第一个封建王朝是秦朝（公元前 221 年–公元前 206 年），第一个皇帝是秦始皇。中国的最后一个朝代是清朝（1616 年–1911 年），最后一个皇帝叫溥仪。

生词

1. wénmíng 文明 civilization
2. gǔ guó 古国 country with a long history
3. tǒng yī 统一 unite
4. fēng jiàn 封建 feudal
5. wáng cháo 王朝 dynasty
6. qín cháo 秦朝 Qin Dynasty (221 B.C.-206 B.C.)
7. gōng yuán 公元 the Christian era; A.D.
   gōng yuán qián 公元前 before Christ; B.C.
8. huáng dì 皇帝 emperor
9. qín shǐ huáng 秦始皇 First Emperor (259 B.C.-210 B.C.) of China's Qin Dynasty
10. zuì hòu 最后 last
11. pǔ yí 溥仪 Aisin-Gioro Puyi (1906-1967) the last emperor of China's Qing Dynasty

A 填空

1) 中国有 ________ 年的历史。

2) 中国是世界四大 ________ 古国之一。

3) 中国统一以后的 ________ 封建王朝是秦朝。

4) 中国的第一个皇帝是 ________。

5) ________ 是中国的最后一个朝代。

B 写意思

1) 文 (culture) { 文明 / 文化 }

2) 古 (ancient) { 古国 / 古都 }

3) 历 (experience) { 历史 / 学历 }

4) 最 (most) { 最后 / 最好 }

C 写年份

1) 秦朝（221 B.C.–206 B.C.）→ 公元前 221 年到公元前 206 年

2) 明朝（1368–1644）→ ________________

3) 清朝（1616–1911）→ ________________

D 模仿例子英译汉

1) 例子：中国有五千多年的历史。

Mum has more than 10 scarfs.

2) 例子：中国是世界四大文明古国之一。

India is one of the four ancient civilizations in the world.

3) 例子：中国统一以后的第一个封建王朝是秦朝。

My first Chinese teacher was from Beijing.

4) 例子：中国的最后一个皇帝叫溥仪。

My last activity today is playing the piano.

课文 2

11 配对

☐ 1) 今天白天有大雪，气温在零度左右。

☐ 2) 今天多云，最低气温十八度。

☐ 3) 今天下午有小雨，最高气温二十二度。

☐ 4) 今天是晴天，气温在二十度左右。

☐ 5) 今天有台风，有大雨。

a

b

e

d

c

12 改错并写出正确的句子

1) 上海今天是晴。
→ ____________________

2) 北京今天白天是阴。
→ ____________________

3) 香港明天有多云。
→ ____________________

4) 西安明天和后天都雷雨。
→ ____________________

5) 台北今天气温在左右三十度。
→ ____________________

6) 广州明天早上是雾。
→ ____________________

7) 西安今天白天是刮风。
→ ____________________

8) 今天气温在之间六度到十度。
→ ____________________

13 看图写句子

① 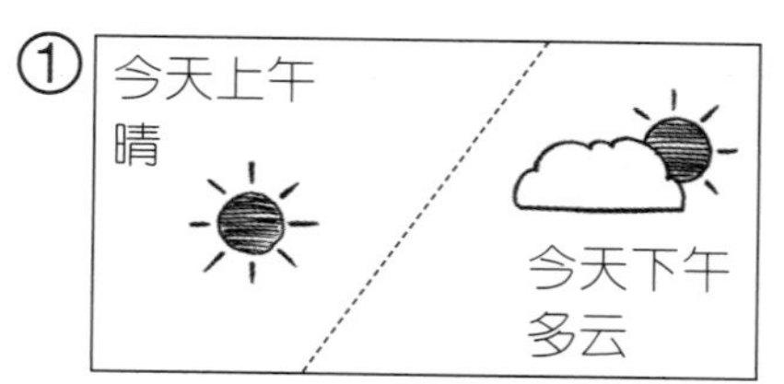

② 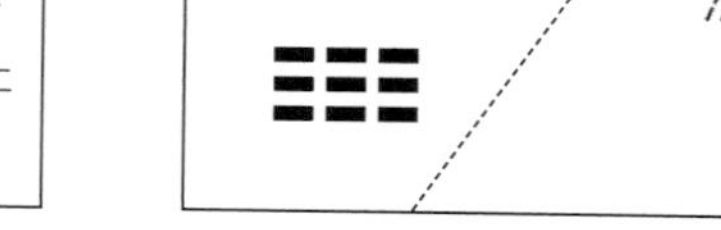

③ 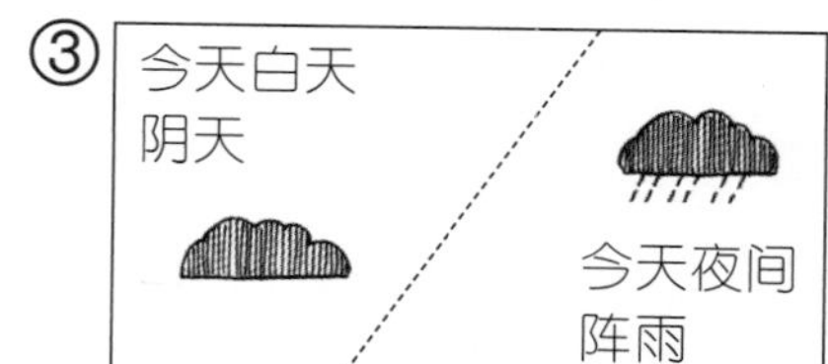

今天上午晴，下午多云。

④ 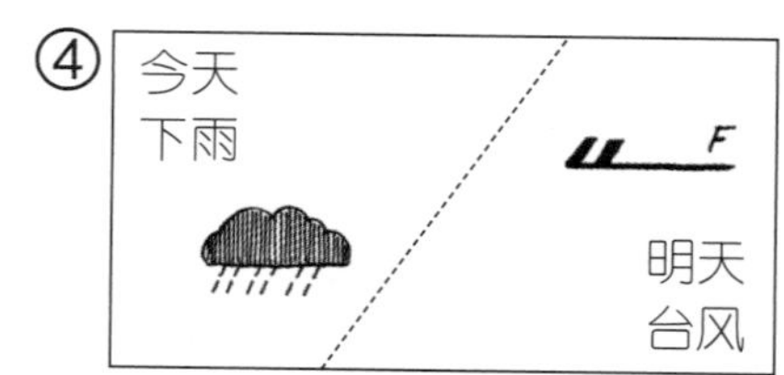

⑤ 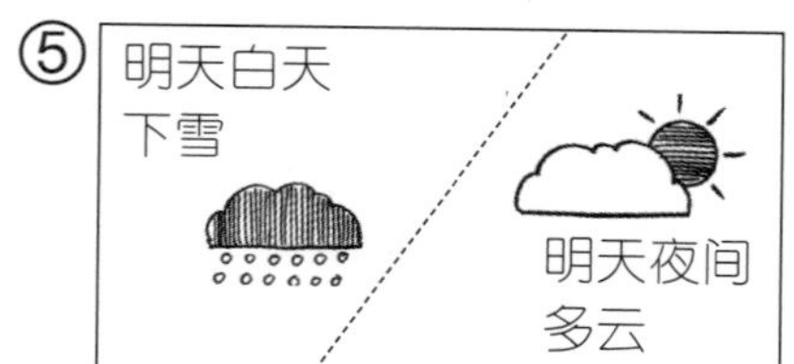

⑥ 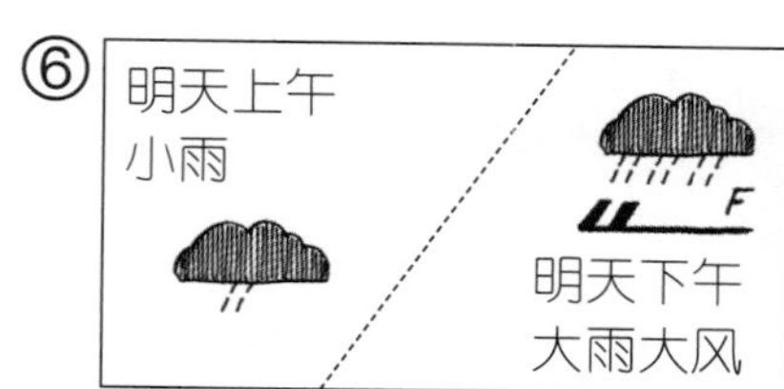

14 写意思

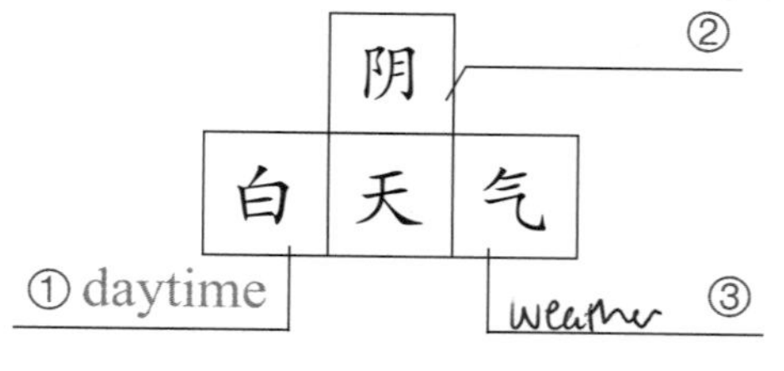

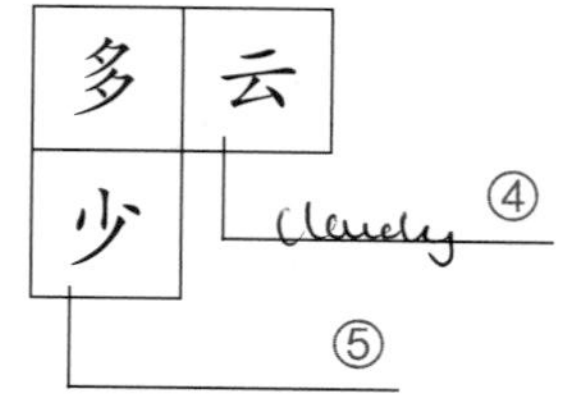

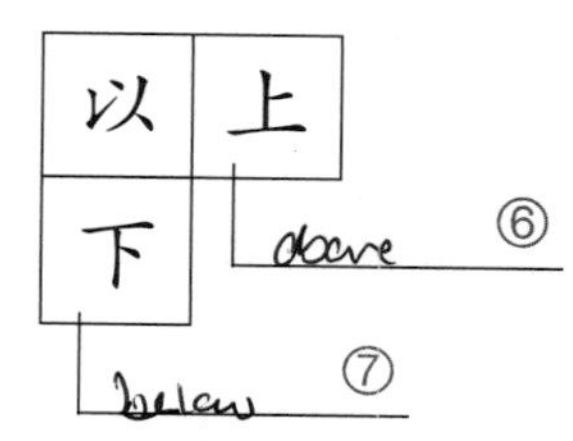

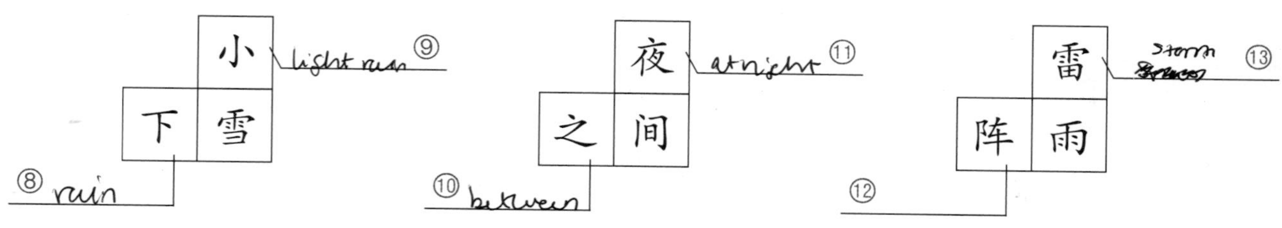

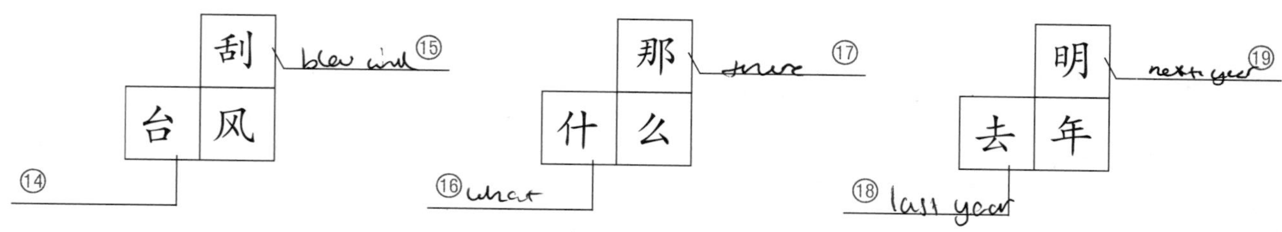

15 写反义词

1) 以后→ 以前　2) 夜间→ ____　3) 阴天→ ____　4) 以上→ ____

5) 上面→ 下面　6) 左边→ 右边　7) 上学→ ____　8) 低→ ____

9) 来→ 去　10) 胖→ ____　11) 外→ ____　12) 前→ ____

13) 冷→ 热　14) 少→ ____　15) 大→ 小　16) 短→ ____

16 填空

①

去年			后年
	今天		

②

	这个月	
上个星期		
		下个周末

17 连词成句

1) 白天 / 转 / 晴 / 今天 / 上海 / 多云 / 。→ 上海今天白天多云转晴。

2) 北京 / 有 / 今天 / 阵雨 / 夜间 / 。→ 北京今天夜间有阵雨。

3) 西安 / 明天 / 上午 / 大雨 / 有 / 。→ 西安明天上午有大雨。

4) 可能 / 香港 / 雷雨 / 明天 / 有 / 。→ 香港明天可能有雷雨。

5) 台风 / 后天 / 可能 / 广州 / 有 / 。→ 广州后天可能有台风。

6) 零下 / 今天 / 气温 / 最低 / 十五度 / 。→ 今天最低气温零下十五度

18 看图写短文

① 北京

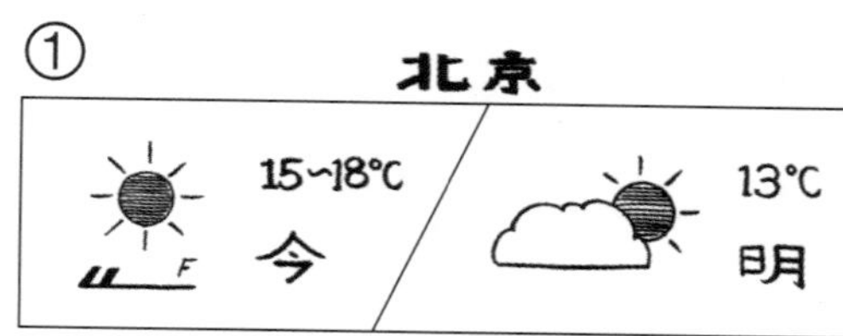

北京今天晴，有大风，气温在十五度到十八度之间。明天多云，气温在十三度左右。

② 台北

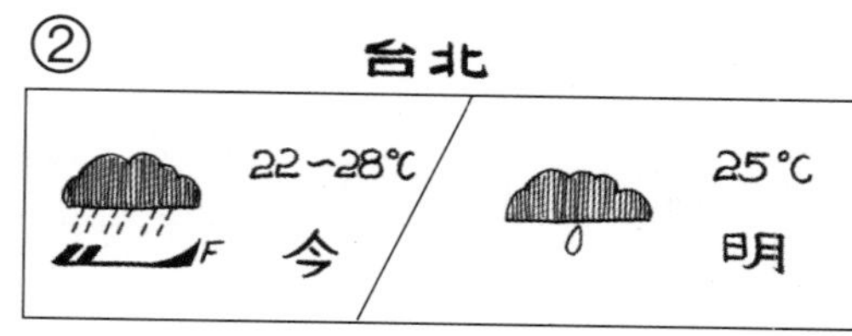

③ 大连

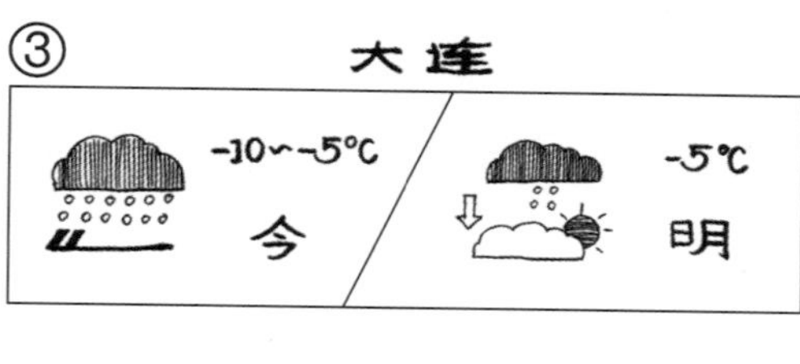

④ 上海

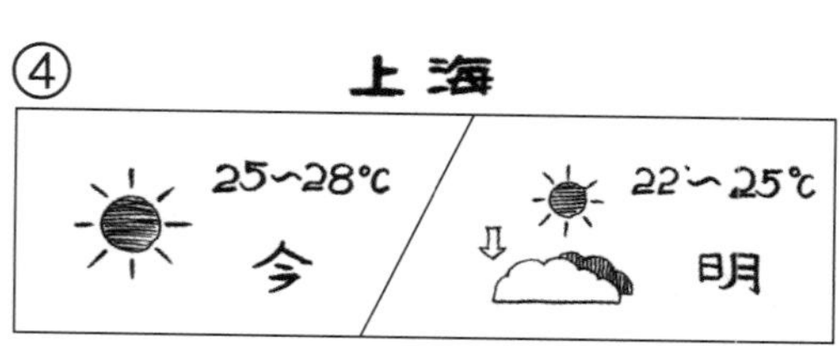

19 写偏旁部首及意思

① 歌 欠 owe
② 放
③ 站
④ 颜
⑤ 穿
⑥ 衫
⑦ 粉
⑧ 码
⑨ 冰
⑩ 爱
⑪ 弹
⑫ 动
⑬ 历
⑭ 色
⑮ 蚂
⑯ 问

①

北京

今 明

-10°C

今天有大雪，气温在零下十度左右。明天阴天。

②

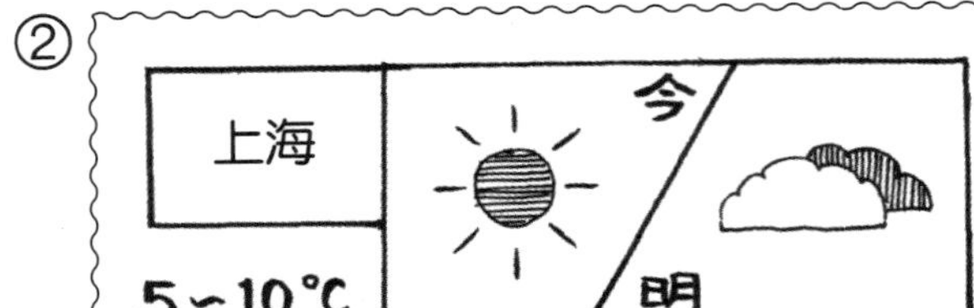

今天是晴天，气温在五度到十度之间。明天阴天。

二〇一六年
十二月二十日

③

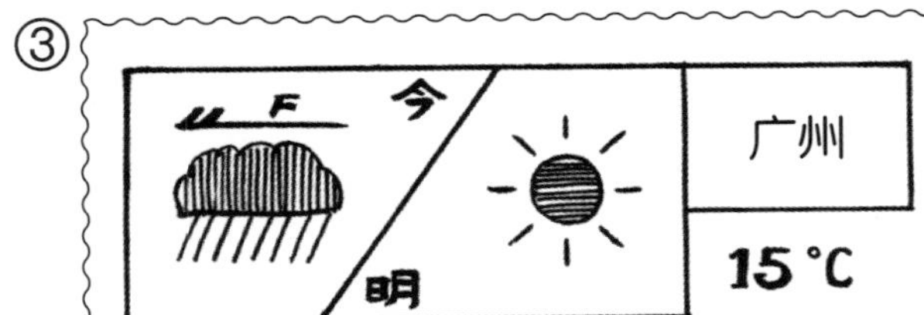

今天有大雨，有大风，气温在十五度左右。明天晴。

④

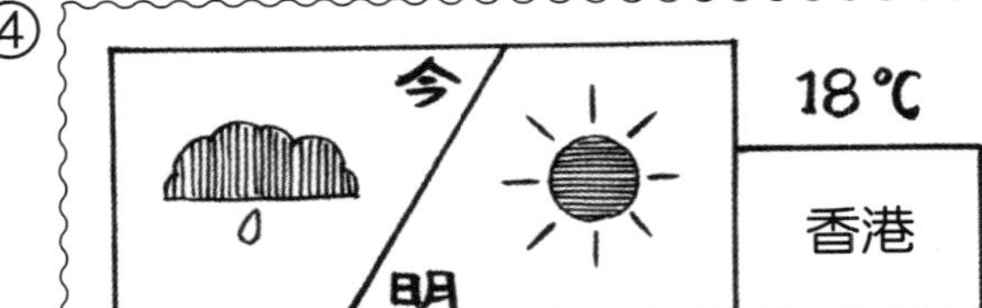

今天有小雨，气温在十八度左右。明天晴天。

1) 北京今天天气怎么样? ______

2) ______

3) ______

4) ______

5) ______

6) ______

7) ______

8) ______

9) ______

10) ______

21 阅读理解

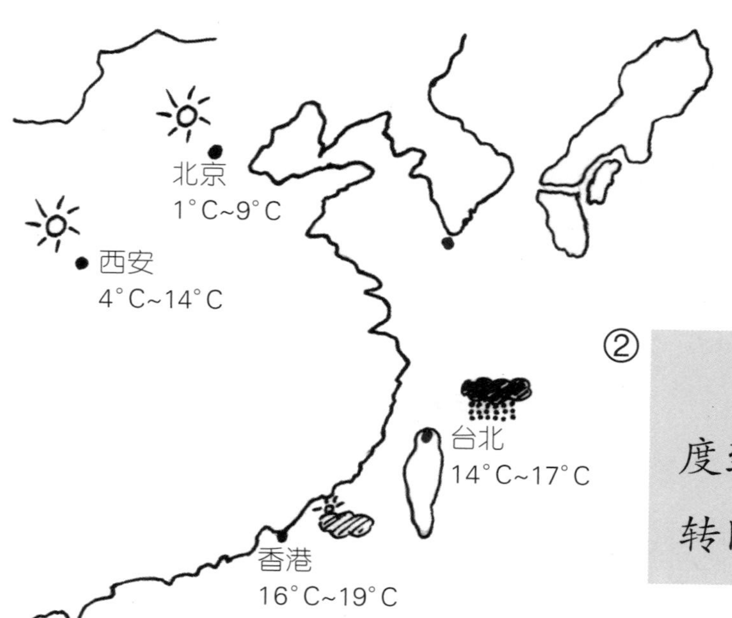

① 北京今天晴，气温在一度到九度之间。周末晴转阴，气温在零度左右。

② 西安今天是晴天，气温在四度到十四度之间。下个星期多云转阴，可能有小雪。

③ 台北今天有大雨，气温在十四度到十七度之间。下个星期阴转多云，可能有小雨。

④ 香港今天多云，最低气温十六度，最高气温十九度。明天多云转阴。

回答问题：

1) 北京今天天气怎么样？多少度？
晴，在一度到九度之间

2) 北京这个周末天气怎么样？

3) 西安今天会下雨吗？
不下

4) 西安今天多少度？

5) 西安下个星期天气怎么样？

6) 台北今天有雨吗？
大雨

7) 台北今天最高气温多少度？
十七度

8) 台北下个星期天气怎么样？

9) 香港今天最低气温多少度？

10) 香港明天天气怎么样？

22 写短文

Search on the Internet, check and write down weather forecasts for three cities of your choice. You should include:

- weather conditions and temperature of today
- forecast for tomorrow and the day after tomorrow

23 阅读理解

故宫

故宫（紫禁城）有八千多个宫殿，是世界上最大、最完整的木结构古建筑群。故宫在北京的市中心，是明朝和清朝的皇宫。从明朝的第一个皇帝到清朝的末代皇帝，先后有二十四个皇帝在故宫里住过。

生词

1. 紫禁城 (zǐ jìn chéng) the Forbidden City (in Beijing)
2. 宫殿 (gōngdiàn) palace
3. 完整 (wán zhěng) complete
4. 木 (mù) wood
5. 结构 (jié gòu) structure
6. 古 (gǔ) ancient
7. 建筑 (jiàn zhù) architecture
8. 群 (qún) in groups
9. 市 (shì) city
10. 皇宫 (huánggōng) imperial palace
11. 末代 (mò dài) the last reign (of a dynasty)
12. 先后 (xiān hòu) one after another
13. 过 (guo) a particle (indicate an experience)

A 填空

1) 故宫又叫 紫禁城 ，有 八千多个 宫殿。

2) 故宫是世界上 最大 、 最完整 的木结构古建筑群。

3) 故宫是 明朝 和 清朝 的皇宫。

4) 先后有 二十四 个皇帝在故宫里住过。

B 写意思

1) 市 city { 市中心 city centre / 都市 metropolis }

2) 木 wood { 木结构 wooden structure / 木房子 wooden house }

3) 皇 emperor { 皇宫 emperor palace / 皇帝 emperor }

4) 末 end { 末代 last / 周末 weekend }

C 模仿例子英译汉

1) 例子：故宫有八千多个宫殿。

There are more than 100 Chinese restaurants in the city centre.

市中心有一百多个中餐厅。✓

2) 例子：故宫在北京的市中心。

Our school is beside the public swimming pool.

我们学校在公共游泳池旁边。✓

3) 例子：故宫是世界上最大的木结构古建筑群。

My parents' bedroom is the biggest room in our new house.

我妈妈和爸爸的卧室是我们新房子里最大的房间。✓

4) 例子：从明朝的第一个皇帝到清朝的末代皇帝，先后有二十四个皇帝在故宫里住过。

From primary one till present, five Chinese teachers have taught me.

从小学一年级到现在，五个汉语老师教过我。✓

D 翻译

1) the tallest palace in the world

世界上最高的宫殿 ✓

2) the longest dynasty

最长的王朝 ✓

3) the youngest student in my class

班上最小的学生 ✓

4) the imperial palace of wooden structure

木结构的故宫 ✓

2023.5.8

第五课　我生病了

课文 1

1 配对

a

b

c

d

① 爸爸很喜欢做饭。他每天都给我们做饭。他做的蒸鱼最好吃。

② 爷爷今天觉得不太舒服。他上午去了医院。医生给他开了一点儿药。

③ 奶奶起床以后觉得很不舒服。妈妈送她去了医院。医生给她量了体温，三十八点五度。

④ 弟弟这两天总是咳嗽。他今天去医院看病。医生说他要少喝可乐，多喝水。

2 根据实际情况回答问题

Try to use the 是……的 structure

1) 你是在哪儿出生的？

我出生在英国。 ✓ 我是在英国出生的

2) 你是在哪儿长大的？

我长大在英国

3) 你是几岁开始学汉语的？

我开始学汉语 ✓ 十二岁

4) 你是哪年来到这所学校的？

三年前我来到这所学校。 ✓

5) 昨天你是怎么去学校的？

昨天我坐校车上学。 ✓

6) 昨天你爸爸是怎么上班的？

昨天我爸爸坐飞机上班 ✓

3 翻译

① 我先给你量一量体温。

② 我可以看看你的新电脑吗？

③ 我看一看你的杂志，可以吗？

④ 请等等，我去叫医生。

4 用所给词语填空

多喝水	少吃肉	多看书	少吃快餐
多运动	多说汉语	少看电视	多休息

1) 我从前天开始咳嗽。我去看病，医生说：“你要______！”

2) 我每天中午都吃热狗。我的好朋友经常说：“你要______！”

3) 我不太喜欢看书。妈妈常说：“你要______！”

4) 妹妹每天都吃很多肉。奶奶经常说：“你要______！”

5) 弟弟长得很胖。爸爸常说：“你要______！”

6) 我生病了。外婆说：“你去睡觉吧！你要______！”

7) 我周末一般会在家看电视。爷爷常说：“你要______！”

8) 我的汉语不太好。老师常说：“你要______！”

5 配对

b	1) 你觉得哪儿不舒服？	a) 昨天晚上。
d	2) 你吃药了吗？	b) 我发烧了，还咳嗽。
c	3) 你要多喝水。	c) 谢谢医生！
f	4) 我给你开点儿药。	d) 没有。
a	5) 你是从什么时候开始发烧的？	e) 但是我想去。
e	6) 你明天不能去上学。	f) 好。

6 翻译

① 他吃饭的时候一般会看电视。

He normally eats while watching TV.

② He normally listens to music while jogging.

他听音乐的时候一般会跑步。 ✓

③ 她做作业的时候常常吃零食。

She does her homework while eating a snack.

④ She often listens to music while she is on line.

她听音乐的时候常常网上。

⑤ 昨天下雨的时候我在家。

I was at home while it was raining yesterday.

⑥ I was in school while it was snowing yesterday.

昨天下雪的时候我在学校。

⑦ 昨天我们搬家的时候下雨了。

We were moving yesterday while it was raining.

⑧ I felt ill while I was having my English lesson today.

?

7 根据实际情况回答问题

1) 你常常生病吗？
我不常常生病

2) 你上个月生病了吗？你哪儿不舒服？

3) 你生病的时候会去医院吗？

4) 你生病的时候一般会吃什么？

5) 你生病的时候妈妈会让你做什么？

8 阅读理解

雷明今天生病了。早上起床以后，他觉得不舒服。他早饭喝了一点儿粥。去学校以前，他开始发烧。妈妈说："你生病了，今天在家休息吧！"

上午雷明在家睡了两个小时觉。吃午饭的时候，他还不舒服。他午饭吃了点儿炒饭。午饭以后，妈妈送他去医院看病。

在医院，医生给他量了量体温，三十八点八度。医生说："你感冒了，还发烧。我给你开点儿药。你要多喝水，多休息！"医生让他明天和后天也在家休息。

回答问题：

1) 雷明是什么时候开始觉得不舒服的？

2) 他是什么时候开始发烧的？

3) 他午饭吃了什么？

4) 他是什么时候去看病的？

5) 医生说他要做什么？

6) 他明天能去上学吗？

9 写短文

Write about your experience of being ill. You should include:

- when you felt sick
- whether you had a fever or not and what the temperature was
- whether you coughed or not
- who took you to see the doctor and what the doctor told you to do
- how many days you stayed at home

10 阅读理解

中国的科技发明

中国古代的科技发明中最有名的是四大发明——造纸术、印刷术、火药和指南针。这些发明和中国的饮食、艺术、哲学等都对周边的国家和地区（日本、韩国、越南、马来西亚等）产生了很大的影响。

生词

1. 科技 (kē jì) science and technology
2. 发明 (fā míng) invention
3. 古代 (gǔ dài) ancient times
4. 有名 (yǒu míng) famous
5. 造纸术 (zào zhǐ shù) papermaking technology
6. 印刷术 (yìn shuā shù) printing
7. 火药 (huǒ yào) gunpowder
8. 指南针 (zhǐ nán zhēn) compass
9. 这些 (zhè xiē) these
10. 饮食 (yǐn shí) food and drink
11. 艺术 (yì shù) art
12. 哲学 (zhé xué) philosophy
13. 周边 (zhōubiān) surrounding
14. 地区 (dì qū) area; region
15. 韩国 (hán guó) Republic of Korea
16. 马来西亚 (mǎ lái xī yà) Malaysia
17. 产生 (chǎn shēng) generate

A 填空

1) 中国古代的四大发明是：______、______、______、______。

2) 中国古代的四大发明和中国的______、______、______等都对周边的国家和地区产生了很大的影响。

3) 中国周边的国家有______、______、______、______等。

B 写意思

1) 周 around { 周边 / 四周

2) 名 reputation { 有名 / 出名

3) 术 art; technique { 造纸术 / 印刷术

4) 区 area { 地区 / 市区

C 翻译

1) ancient science and technology

2) the surrounding countries and regions

3) Chinese ancient inventions

4) had great impact

D 翻译

1) 中国古代的科技发明中最有名的是四大发明。

____

2) 我的同学中最高的是王小明。

____

3) 这些发明对周边的国家和地区产生了很大的影响。

____

4) 爸爸妈妈对我产生了很大的影响。

____

课文 2

11 配对

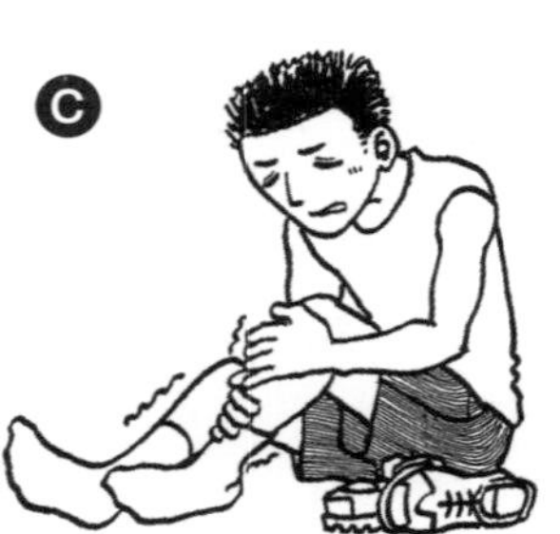

① 他从上个星期开始咳嗽。今天妈妈带他去了医院。

② 他今天早上开始发烧。他现在觉得很冷。

③ 他今天上午觉得肚子疼，下午开始拉肚子。

④ 他感冒了，嗓子很疼。

⑤ 他昨天晚上没睡好，今天早上觉得头痛。

⑥ 他昨天跑了两个小时步，今天觉得腿(tuǐ)疼。

12 组词

1) 马上→ ________ 2) 小时→ ________ 3) 开车→ ________

4) 水果→ ________ 5) 学生→ ________ 6) 厨房→ ________

7) 里面→ ________ 8) 课外→ ________ 9) 毛衣→ ________

10) 以前→ ________ 11) 天气→ ________ 12) 头发→ ________

13 翻译

①	one hour	three and a half hours	ten hours	thirty hours
②	one day	two days	three and a half days	six days
③	one week	two and a half weeks	four weeks	seven weeks
④	one month	two months	three and a half months	five months
⑤	one year	two and a half years	three years	ten years
⑥	one morning	one afternoon	one evening	one weekend

14 配对

☐ 1) 你觉得哪儿不舒服？	a) 对，我昨天晚上开始拉肚子。
☐ 2) 你拉肚子吗？	b) 我吃了点儿感冒药。
☐ 3) 你吃药了吗？	c) 谢谢医生！
☐ 4) 我给你开了一点儿药。	d) 昨天早上。
☐ 5) 你是从什么时候开始觉得不舒服的？	e) 我头痛、嗓子疼，还咳嗽。

15 找出词语并写出意思

面	书	雷	阵	咳
条	包	雨	嗽	看
舒	服	嗓	生	病
拉	肚	子	头	假
感	冒	疼	发	条

1) ________ 7) ________

2) ________ 8) ________

3) ________ 9) ________

4) ________ 10) ________

5) ________ 11) ________

6) ________ 12) ________

16 造句

1) 咳嗽　半个月：
我咳嗽了半个月。

2) 头痛　两天：
我头痛了两天。

3) 在北京　住　五年：
我们家住在北京五年了

4) 在家　休息　一个月：
医生说在家休息一个月。

5) 在西安　工作　半年：
我在西安工作了半年。

6) 看电视　两个小时：
弟弟看电视了两个小时。
视看

7) 拉肚子　三天：
妈妈拉肚子了三天。
拉

8) 下雨　半个小时：
今天下雨了半个小时。
下 → repeat the verb

17 猜词语的意思

1) 雪白：snow white

2) 雪花：snowflake

3) 雨衣：rain coat

4) 雨鞋：rain boots

5) 酸雨：acid rain

6) 病房：ward

7) 药店：pharmacy

8) 药水：potion

9) 中药：chinese medicine

18 阅读理解

我从昨天早上开始发烧、咳嗽。吃饭的时候我还嗓子疼。昨天上午妈妈带我去看病。到了医院，护士先给我量了一下体温。我三十八点九度。护士让我坐在旁边等医生。我等了五分钟医生就来了。医生说我感冒了。他给我开了药，还给我开了一张病假条，让我在家休息两天。

到家以后，妈妈给我的老师发电邮（E-mail）说我生病了，这两天不能去上学。

今天我不发烧了，可是还咳嗽。

> 王老师：
>
> 您好！
>
> 我是李泳的妈妈。李泳感冒了。我今天上午带他去了医院。医生让他在家休息两天。他今、明两天不能去上学了。
>
> 李泳的妈妈

判断正误：

- [F] 1) 李泳是今天早上开始觉得不舒服的。
- [F] 2) 他妈妈没带他去看病。
- [T] 3) 医生给他量了体温。
- [T] 4) 医生给他开了一点儿药。
- [F] 5) 他今天不发烧了。

19 写出偏旁部首的意思

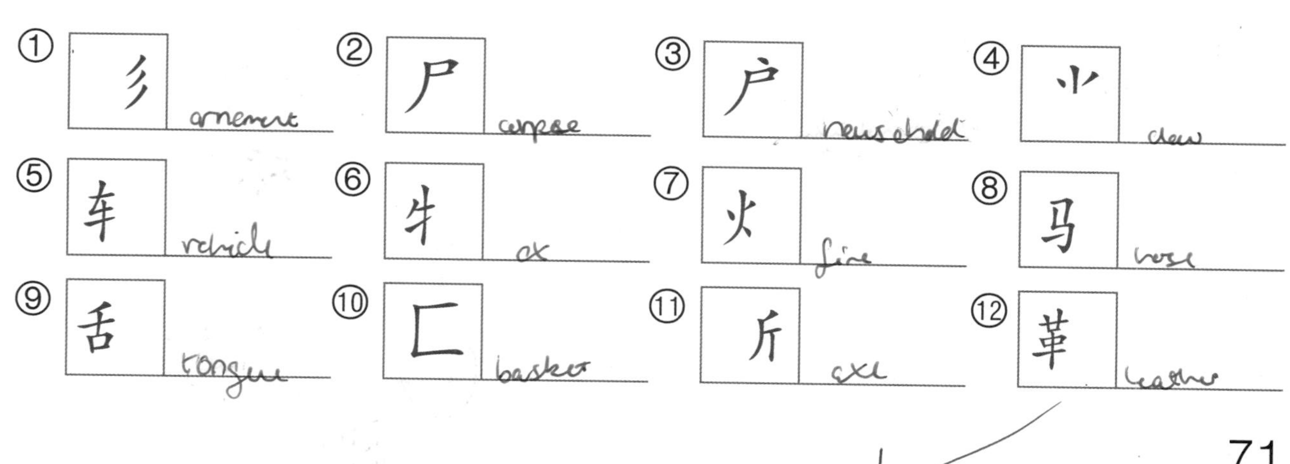

20 用所给词语填空

虽然……，但是……	先……，然后……	
一边……一边……	从……到……	太……了

1) 妹妹喜欢 ____ 听音乐 ____ 做作业。

2) ____ 星期一 ____ 星期五，爸爸每天都很忙。

3) ____ 妈妈今天觉得不舒服，____ 她没去医院看病。

4) 弟弟的房间 ____ 乱 ____！

5) 医生 ____ 给我量了体温，____ 给我看了病。

6) ____ 今天下大雪，还刮风，____ 我不觉得冷。

7) 到家以后，我 ____ 吃了一点儿面条，____ 吃了药。

21 翻译

① 医生让我在家休息两天。

② The doctor lets me sleep for eight hours every day.

③ 老师叫我们多说汉语。

④ Grandma orders me to drink more water, less coke.

⑤ 妈妈叫爸爸马上去看病。

⑥ Mum orders the younger sister to go to sleep right away.

⑦ 爸爸让我每天上一个小时网。

⑧ Mum allows me to watch TV for one hour every day.

22 阅读理解

A

家乐：

你好！

你的病好了吗？你现在还发烧吗？医院的医生和护士好不好？医院的饭菜好吃吗？你白天在医院做什么？周末我们会去看你。

李英

判断正误：

- 1) 家乐生病了。
- 2) 家乐现在住在医院。
- 3) 家乐不吃医院的饭菜。
- 4) 李英周末会去看家乐。

B

李英：

你好！

我现在不发烧了。这里的医生和护士都很好。我白天可以看书、看杂志、看电视，还可以上网、听音乐。这里的饭菜不太好吃。周末你们能来，我很高兴。

家乐

判断正误：

- 1) 家乐不发烧了。
- 2) 医生不让家乐上网。
- 3) 医院的饭菜很好吃。
- 4) 家乐很想见李英。

23 写短文

Write a diary recounting your experience of falling ill the other day. You should include:

- when you started to feel unwell
- what symptoms you had
- who took you to the doctor
- how many days you rested at home

24 阅读理解

中国音乐

中国的民族乐器主要有吹奏、拉弦、弹拨和打击四类。人们最熟悉的乐器有二胡、笛子、琵琶等。其中，二胡最有名，被称为"中国的小提琴"。中国还有很多民歌。《茉莉花》是中国最有名的民歌之一。

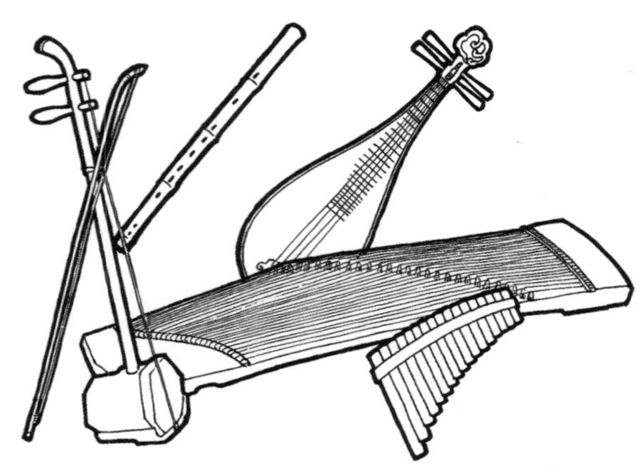

生词

1. 乐器 (yuè qì) musical instrument
2. 主要 (zhǔ yào) main
3. 吹奏 (chuī zòu) play (wind instruments)
4. 拉弦 (lā xián) play (stringed instruments)
5. 弹拨 (tán bō) play; pluck
6. 打击 (dǎ jī) percussion
7. 类 (lèi) type
8. 人们 (rén men) people
9. 熟悉 (shú xi) be well acquainted with
10. 二胡 (èr hú) two-stringed Chinese fiddle
11. 笛子 (dí zi) flute
12. 琵琶 (pí pa) a plucked string instrument with a fretted fingerboard
13. 被 (bèi) used to form a passive phrase
14. 称为 (chēng wéi) be called
15. 小提琴 (xiǎo tí qín) violin
16. 民歌 (mín gē) folk song
17. 茉莉花 (mò lì huā) jasmine flower

A 填空

1) 中国的民族乐器主要有 ______、______、______ 和 ______ 四类。

2) 人们最熟悉的中国乐器有 ______、______、______ 等。

3) 二胡被称为 __________。

4)《茉莉花》是中国最有名的 ______ 之一。

B 写意思

1) 乐 (music)：乐器；音乐

2) 类 (type)：种类；人类

3) 熟 (familiar)：熟悉；熟人

4) 歌 (song)：民歌；儿歌

C 模仿例子英译汉

1) 例子：人们最熟悉的乐器有二胡、笛子、琵琶等。

The Chinese food that people are most familiar with is fried noodles.

2) 例子：中国有很多民歌。《茉莉花》是中国最有名的民歌之一。

I have many friends, among them Ma Tian is one of my best friends.

D 翻译

1) Chinese musical instruments

2) the most familiar folk song

3) the most famous doctor

4) one of my hobbies

5) play the piano

6) listen to music

第六课　我的宠物

课文 1

1 配对

① 它有圆圆的眼睛。它身上的毛长长的。它的尾巴也长长的。它很喜欢吃鱼。 [c]

② 它有长长的鼻子、大大的嘴巴和大大的耳朵。它身上的毛短短的。它很喜欢睡觉。 [a]

③ 它有大眼睛、大鼻子和大耳朵。它身上的毛长长的。它很喜欢吃肉。 [b]

a

b

c

2 根据实际情况回答问题

1) A: 你养过宠物吗？　B₁: 养过。　B₂: 没养过。

2) A: 你滑过冰吗？　B₁: ________　B₂: ________

3) A: 你去过北京吗？　B₁: ________　B₂: ________

4) A: 你吃过小笼包吗？　B₁: ________　B₂: ________

5) A: 你学过法语吗？　B₁: ________　B₂: ________

6) A: 你打过冰球吗？　B₁: ________　B₂: ________

3 用所给词语填空

搬家　听说　觉得　量体温　看病　休息　叫　养　喂　带

1) 我们家养了一只猫，我们 叫 它“小雪”。

2) 医生一会儿来给你 看病 。

3) 王明家上个周末 搬家 了。

4) 听说 他明年会去英国上大学。

5) 我今天不舒服，想在家 休息 一天。

6) 我每天都要 喂 我的小狗，还要给它洗澡。

7) 护士姐姐会给你 量体温 。

8) 妈妈不让我们 养 宠物。

9) 我 觉得 今天挺冷的。

10) 我差不多每天晚上都 带 狗去散步。

4 翻译

A

1) 他很喜欢养宠物。

He really likes to raise pets.

2) 他小时候养过宠物。

In his childhood he raised a pet

3) 他现在养了一只狗。

Now he has one dog.

4) 他还想养一只猫。

He would also like to raise one cat.

B

1) 她上小学的时候学过汉语。

When she went to primary school she learnt mandarin

2) 她学了两年汉语。

She has been learning Mandarin for 2 years

3) 她明年会去北京学汉语。

She will go to Bei Jing next year

4) 她会说一点儿汉语。

She can speak a little bit of Mandarin.

5 用所给词语填空

差不多　经常　有时候　每天　常　一般

1) 这个星期天气不好，每天都下雨。

2) 我差不多每天晚上都带狗去散步。

3) 北京的冬天很冷，但是不经常下雪。

4) 妈妈一般早上六点半起床，然后给我们做早饭。

5) 弟弟总是不吃菜和水果，所以他常生病。

6) 我中午一般吃中餐，有时候也吃快餐。

6 造句

1) 虽然……，但是……　在北京　说汉语：

虽然他在北京住了两年，但是他只会说一点儿汉语。

2) 虽然……，但是……　不工作　忙：

虽然我妈妈不工作，但是她总是很忙。

3) 虽然……，但是……　很多零食　不胖：

虽然我每天都吃很多零食，但是我不胖。

4) 因为……，所以……　生病　上学：

5) 因为……，所以……　下雪　冷：

7 写出偏旁部首的意思

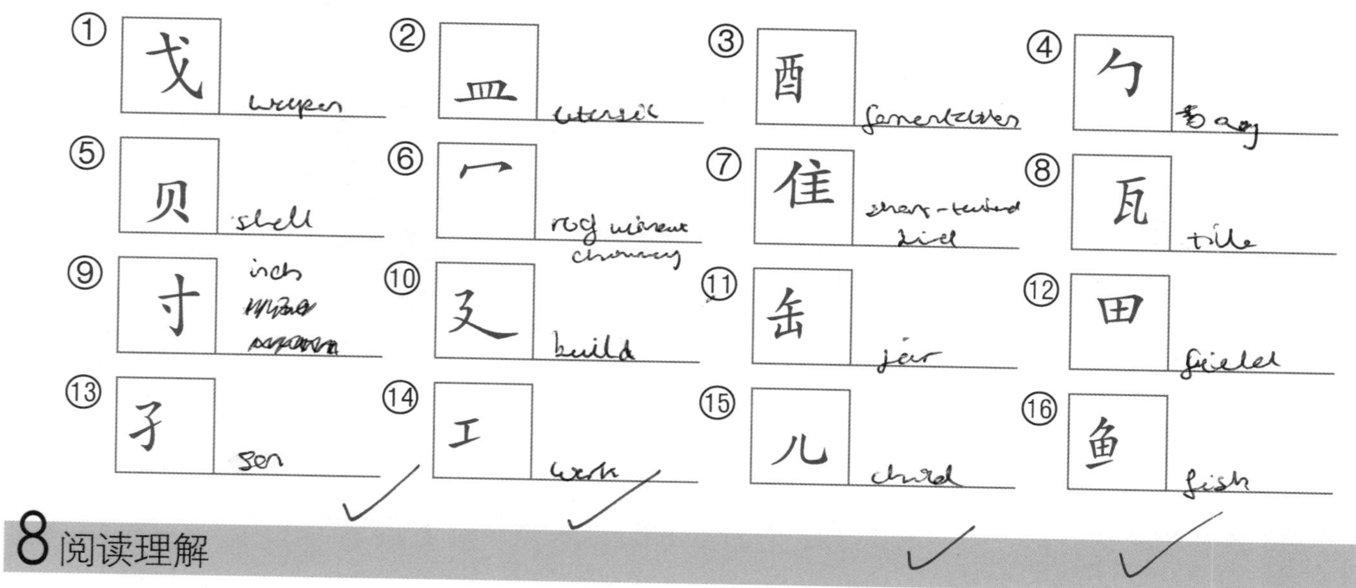

8 阅读理解

因为我总是跟妈妈说我想养宠物，所以妈妈给我买了一只小狗。我非常开心。

因为小狗身上的毛是白色的，所以我叫它"小雪"。小雪长得胖胖的。它的毛长长的，尾巴短短的。它的眼睛圆圆的、大大的。

我每天早上和晚上都会喂它。下午放学以后我会跟它玩半个小时。我差不多每天晚上都会带它去散步。我周末还会给它洗澡。它生病的时候，我会带它去宠物医院。

虽然现在我每天都很忙，但是我很快乐。

回答问题：

1) 为什么妈妈给他买了一只小狗？

2) 为什么他的狗叫"小雪"？

3) 小雪长什么样？

4) 他什么时候喂小雪？

5) 他放学以后会做什么？

6) 他什么时候带小雪去散步？

7) 如果小雪生病了，他会做什么？

9 写短文

你养了一只小狗。写日记介绍一下你的小狗。

你要写：

- 它叫什么名字
- 它长什么样
- 你每天都要为它做什么
- 你喜欢它吗，为什么

10 阅读理解

琴棋书画

古人常用“琴棋书画”来评定一个人的才华和修养。这里的“琴”是古琴，“棋”是围棋，“书”是书法，“画”是绘画。其中，围棋是历史最悠久的一种棋。围棋不但能发展智力，而且能培养品质。

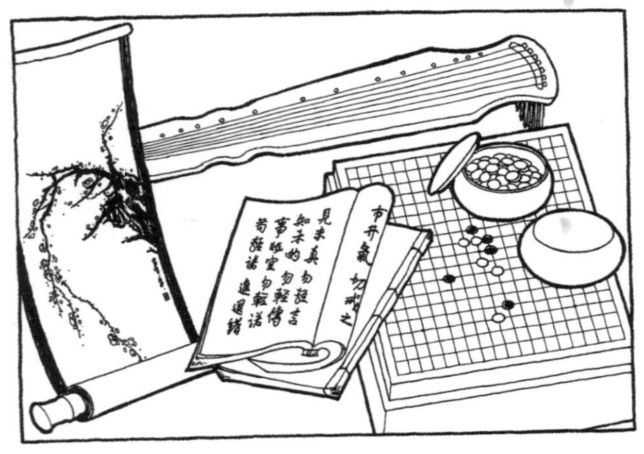

生词

1. 棋 (qí) chess　围棋 (wéi qí) a game played with black and white pieces on a board of 361 crosses
2. 书 (shū) write　书法 (shū fǎ) calligraphy
3. 古人 (gǔ rén) forefathers
4. 评定 (píng dìng) evaluate
5. 才华 (cái huá) literary or artistic talent
6. 修养 (xiū yǎng) accomplishment
7. 古琴 (gǔ qín) a seven-stringed plucked instrument
8. 绘画 (huì huà) drawing; painting
9. 悠久 (yōu jiǔ) long
10. 不但……，而且…… (bú dàn … ér qiě) not only..., but also...
11. 发展 (fā zhǎn) develop
12. 智力 (zhì lì) intelligence
13. 培养 (péi yǎng) foster
14. 品质 (pǐn zhì) character

A 填空

1) 古人常用________来评定一个人的才华和修养。

2) 这里的"琴"是________,"棋"是________,"书"是________,"画"是________。

3) 围棋是历史________的一种棋。

4) 围棋不但能发展________,而且能培养________。

B 写意思

1) 古 (ancient): 古人; 古代

2) 画 (drawing; painting): 绘画; 国画

3) 琴 (musical instrument): 古琴; 钢琴

4) 围 (surround): 围棋; 围巾

C 翻译

1) music talent

2) develop one's intelligence

3) long history

4) foster one's character

D 填空

1) ____ 网球
2) ____ 钢琴
3) ____ 书
4) ____ 舞
5) ____ 足球
6) ____ 画儿
7) ____ 冰
8) ____ 步
9) ____ 音乐
10) ____ 电视

课文 2

11 配对

① 它身上的毛是白色的或者灰色的。它的眼睛是红色的。它的耳朵长长的，尾巴短短的。它很可爱。

② 它身上的毛是棕色的或者黑色的。它身上的毛很短。它有长长的尾巴。它跑得很快。

③ 它身上的毛是棕色的。它的尾巴长长的，嘴巴大大的。它非常聪明，非常好动。它很喜欢吃香蕉（xiāng jiāo）。

12 词语归类

1) 咳嗽	2) 晴天	3) 雷雨	4) 头痛	5) 阴天	6) 好动
7) 刮风	8) 活泼	9) 嗓子疼	10) 发烧	11) 有雾	12) 可爱
13) 拉肚子	14) 多云	15) 阵雨	16) 下雨	17) 下雪	18) 台风

Symptoms	Weather conditions	Personality

13 用所给词语填空

有点儿

（一）点儿

1) 虽然我家的小狗很聪明，但是它 ________ 吵。

2) 因为昨天晚上下雪了，所以今天 ________ 冷。

3) 我到家以后一般先吃 ________ 零食，然后做作业。

4) 你今天下午早 ________ 来我家，行吗？

5) 我今天早上觉得 ________ 不舒服。

6) 我中午吃了感冒药，现在觉得好 ________ 了。

7) 我嗓子 ________ 疼。我要吃 ________ 药。

14 翻译

① 如果晚上有时间，我会跟小狗一起玩。

If I have time in the evening, I will play with the dog.

② If I am sick, mum will take me to the clinic.

如果我生病，妈妈会带我去诊所。

③ 如果明天是晴天，我会去学校的游泳池游泳。

If tomorrow is sunny, I will go to the school's swimming pool and swim.

④ If there is a typhoon tomorrow, we will have no school.

如果明天有台风，我们不会上学。

⑤ 虽然她只有五岁，但是她长得很高。

Although she is only 5 years old, she is very tall.

⑥ Although the dog is only three months old, it runs very fast.

虽然狗只有三个月大，但是它跑得很快。

⑦ 因为妹妹每天都吃很多零食，所以她有点儿胖。

Because my little sister eats a lot of snacks everyday, she is a little fat.

⑧ I like my dog very much because it is so cute.

因为我的狗很可爱，所我很喜欢。狗

15 用所给词语填空

让 带 叫 教 养 玩 开 量

1) 因为小猫的眼睛又大又圆，所以我 叫 它“圆圆”。

2) 妈妈 让 我多看书，少看电视。

3) 毛老师在我们学校 教 汉语。

4) 我生病的时候，妈妈会 带 我去看医生。

5) 我小时候 养 过一只猫。它叫“小花”。

6) 宠物医生给我的狗 开 了一点儿药。

7) 每天放学以后我都会跟朋友一起 玩。

8) 护士姐姐给我 量 了体温。她说我没有发烧。

16 造句

1) 为什么　上学：

你今天为什么不上学？

2) 天气　怎么样：

明天天气怎么样？

3) 长　什么样：

4) 气温　以上：

5) 什么时候　来：

6) 怎么　上学：

17 写意思

① 聪明：________
明天：________

② 好动：________
爱好：________

③ 非常：________
经常：________

④ 散步：________
跑步：________

18 用所给词语及结构写句子

A 又……又……

活泼	头痛
刮风	拉肚子
咳嗽	可爱
下雨	发烧

1) 她又活泼又可爱。
2) ________
3) ________
4) ________

B 经常 / 常常 / 有时候 / 每天　　跟……一起

朋友	打网球
爸爸	做作业
弟弟	滑冰
妈妈	散步
小狗	玩

1) 我常常跟朋友一起去滑冰。
2) ________
3) ________
4) ________
5) ________

19 写出偏旁部首的意思

① 纟 ________　② 辶 ________　③ 禾 ________　④ 矢 ________

⑤ 口 ________　⑥ 疒 ________　⑦ 艹 ________　⑧ 门 ________

20 造句

① 给……看病：

② 给……开病假条：

③ 给……量体温：

④ 给……洗澡：

⑤ 给……做饭：

⑥ 给……开药：

21 连词成句

1) 了 / 两只狗 / 我们家 / 养 / 现在 / 。→ ________

2) 带 / 要 / 去 / 我 / 宠物诊所 / 小狗 / 。→ ________

3) 身上 / 它 / 毛 / 的 / 长 / 很 / 。→ ________

4) 要 / 为 / 你 / 什么 / 做 / 宠物狗 / ？→ ________

5) 小时候 / 养 / 我 / 两只狗 / 过 / 。→ ________

6) 小狗 / 带 / 常常 / 我 / 散步 / 去 / 。→ ________

7) 一起 / 跟 / 没有时间 / 我 / 玩 / 小猫 / 。

→ ________

22 组词并写出意思

1) 宠 物 : pet　2) 尾 ___ : ___　3) 活 ___ : ___

4) 聪 ___ : ___　5) 洗 ___ : ___　6) 非 ___ : ___

7) 如 ___ : ___　8) 因 ___ : ___　9) 时 ___ : ___

10) 诊 ___ : ___　11) 散 ___ : ___　12) 可 ___ : ___

23 阅读理解

十月二十三日星期三　雨

宠物狗小雪到我家有半个月了。小雪又聪明又活泼，非常可爱。我们都非常喜欢它。

今天早上，我觉得小雪可能不舒服，因为它没有来叫我起床。我起床以后去喂它，但是它不太想吃东西。它还想睡觉。

我下午四点到家的时候，小雪还在睡觉。晚上六点妈妈下班回家以后，我和妈妈一起带它去宠物诊所看病。医生说小雪感冒了，给它开了一点儿药。如果两天以后它的病还不好，我们要再带它去诊所。

回答问题：

1) 小雪到他家多长时间了？

2) 为什么他非常喜欢小雪？

3) 为什么他觉得小雪今天可能生病了？

4) 他是下午几点到家的？

5) 他和妈妈是什么时候带小雪去看病的？

6) 医生说小雪怎么了？

24 写短文

介绍你的宠物。你要写：

- 你养了什么宠物
- 它多大，它长什么样
- 你每天都要为它做什么
- 它经常生病吗，如果它生病了，你会为它做什么
- 你喜欢你的宠物吗，为什么

25 阅读理解

京剧

京剧有一百多年的历史，是中国的国剧。京剧有四种表演手法：唱、念、做、打。这也是京剧表演的四个基本功。京剧中的角色主要有生、旦、净、丑四大类。京剧脸谱是京剧的一大特色。

生词

1. jīng jù 京剧 Beijing opera
2. guó jù 国剧 popular traditional opera of a country
3. biǎo yǎn 表演 performance
4. shǒu fǎ 手法 technique
5. chàng 唱 sing
6. niàn 念 recitation
7. zuò 做 act
8. dǎ 打 acrobatics (dancing)
9. jī běn gōng 基本功 basic training
10. jué sè 角色 role (in films, drama, etc.)
11. shēng 生 male role in traditional opera
12. dàn 旦 female character type in traditional opera
13. jìng 净 "painted face", a character type in traditional opera
14. chǒu 丑 clown in traditional opera
15. liǎn pǔ 脸谱 types of facial makeup
16. tè sè 特色 distinctive feature or quality

A 填空

1) 京剧有 ______ 的历史，是中国的 ______。

2) 京剧有四种表演手法：______、______、______、______。

3) 京剧中的角色主要有 ______、______、______、______ 四大类。

B 写意思

1) 剧 (drama) { 京剧 / 话剧

2) 演 (perform) { 表演 / 公演

3) 特 (special) { 特色 / 特长

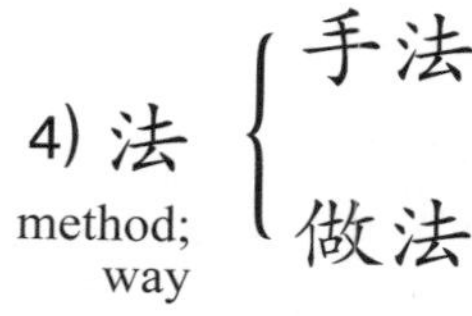

4) 法 (method; way) { 手法 / 做法

C 翻译

1) the popular traditional opera of China

2) performing method

3) the main role

4) distinctive features of Beijing opera

D 根据实际情况回答问题

1) 你看过京剧吗？

2) 你是在哪儿看京剧的？
你是什么时候看的？

E 看图写词

① 

② 

③ 

④ 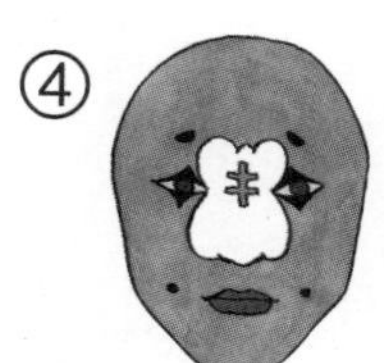

第二单元　复　习

第四课

课文 1　去年　明年　季节　春天　夏天　秋天　冬天　天气　怎么样　气温　度　零度　左右　以上　以下　冷　刮风　下雨　下雪　晴天　那　那么

课文 2　天气预报　雾　多云　转　阴天　阵雨　之间　可能　台风　西安　白天　夜间　小雪　低　后天　小雨　雷雨

第五课

课文 1　量　体温　给　点　那边　看病　觉得　舒服　咳嗽　发烧　开　药　休息　要　生病

课文 2　头痛　疼　嗓子　拉肚子　马上　带　护士　一下　感冒　叫　最后　张　病假条　让　小时　虽然……，但是……

第六课

课文 1　养　宠物　过　小时候　猫　只　因为……，所以……　它们　身上　毛　尾巴　灰白色　为　喂　洗澡　散步　差不多

课文 2　只　聪明　可爱　又……又……　东西　活泼　好动　非常　玩　时间　吵　有点儿　诊所　如果

句型：

1) 你去年在北京住了一年。

2) 医生一会儿来给你看病。

3) 晚上睡觉的时候我还咳嗽。

4) 你是从什么时候开始发烧的？

5) 你要多喝水，多休息！

6) 下午我睡了两个小时觉。

7) 你养过宠物吗？

8) 因为它身上的毛是白色的，所以我叫它“雪球”。

9) 乐乐只有两个月大。

10) 它们都又聪明又可爱。

11) 我没有时间跟它们一起玩。

12) 乐乐有点儿吵。

问答：

1) 北京的冬天天气怎么样？　北京的冬天很冷，有时候还下雪，气温经常在零度以下，有时候会到零下十度。

2) 北京的秋天呢？　北京的秋天天气最好，不冷也不热，常常是晴天。

3) 北京的秋天一般多少度？　十七度到二十五度。

4) 你觉得哪儿不舒服？　我发烧了。晚上睡觉的时候我还咳嗽。

5) 你是从什么时候开始发烧的？　我是昨天晚饭以后开始觉得不舒服的。

6) 请问，我明天能去上学吗？　你明天不能去上学。你生病了，要在家休息两天。

7) 你养过宠物吗？　我小时候养过鱼。我现在养了一只狗和一只猫。

8) 你的狗叫什么名字？　因为它身上的毛是白色的，所以我叫它“雪球”。

9) 它长什么样？　它的眼睛大大的，鼻子和嘴巴都小小的。它的尾巴很短。

10) 你要为雪球和小花做什么？　我每天都喂它们，常常给它们洗澡。我差不多每天都带雪球去散步。

第二单元 测 验

1 找同类词语填空

1) 咳嗽 _____ _____ _____ _____

2) 晴天 _____ _____ _____ _____ _____

3) 春天 _____ _____ _____

4) 聪明 _____ _____

2 用所给词语填空

可能　那么　只　有点儿　一点儿

小时候　差不多　非常　的时候　最后

1) 今天夜间 _____ 有雷雨。

2) 你明天能早 _____ 回家吗?

3) 我 _____ 养过猫。

4) 奶奶吃饭 _____ 常常咳嗽。

5) _____ 我们秋天去北京吧!

6) 我家小狗 _____ 有两个月大。它很好动。

7) 我 _____ 每天都带狗去散步。

8) 他的小狗虽然很可爱,但是 _____ 吵。

9) _____,医生给我开了一张病假条。

10) 爷爷 _____ 喜欢吃中餐。他每天都吃炒菜和米饭。

3 组词

① 们

② 头

③ 步

④ 下

⑤ 服

⑥ 后

⑦ 常

⑧ 动

4 连词成句

1) 洗澡 / 小狗 / 我 / 给 / 常常 / 。→

2) 气温 / 以下 / 零度 / 冬天 / 在 / 常常 / 。→

3) 后天 / 天气预报 / 大雪 / 说 / 有 / 。→

4) 觉得 / 她 / 今天早上 / 不舒服 / 。→

5) 马上 / 弟弟 / 妈妈 / 医院 / 带 / 去了 / 。→

6) 给 / 护士 / 体温 / 我 / 量了 / 。→

5 看图完成句子

① 

今天下了______

______

② 

他们一家人在上海______

③ 

她在家______

______

④ 

妹妹跟小狗______

______

6 翻译

1) The doctor orders me to drink more water.

2) Mum asked my younger brother to sleep more.

3) Dad said: "You should wear more clothes today."

4) My elder sister said: "You should eat less rice."

7 看图写句子

① 

② 

③ 

④ 

⑤ 

⑥ 

8 根据实际情况回答问题

1) 你最喜欢哪个季节？为什么？

2) 今天天气怎么样？今天多少度？

3) 明天会下雨吗？

4) 你昨天晚上睡了几个小时觉？

5) 你生病的时候，谁带你去医院？

6) 你小时候养过宠物吗？

7) 你想养狗还是养猫？

8) 如果你养了宠物，你会为它做什么？

9 造句

1) 因为……，所以……　身上：

2) 又……又……　刮风：

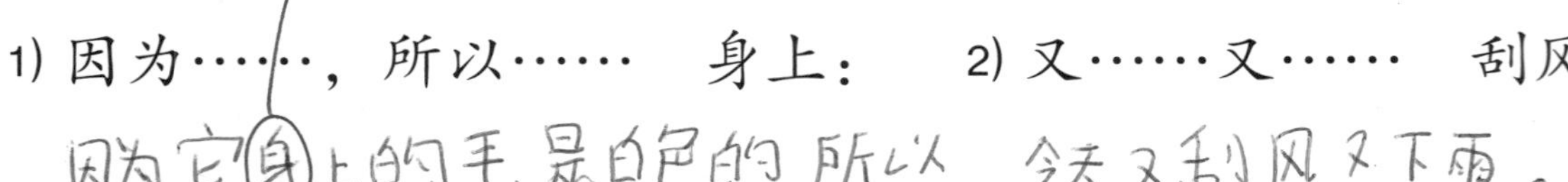

3) 虽然……，但是……　上学：

虽然早上要上学，但是我喂我的狗。

4) 是……的　不舒服：

你是从什么时候开始不舒服的[illegible]

10 阅读理解

我叫东东。我爸爸是英国人，妈妈是中国人。我们一家人住在香港。我们在香港住了五年了。

我们一家人都很喜欢香港的天气。香港一年有四个季节：春天、夏天、秋天和冬天。香港的春天常常下雨，气温在十五度到二十度之间。香港的夏天很热，有时候会有台风，气温常常在三十度以上。香港的秋天和冬天天气最好，差不多每天都是晴天。秋天的气温在十五度左右，冬天也不太冷。

判断正误：

□ 1) 东东一半是英国人，一半是中国人。

□ 2) 他们家五年以前搬到了香港。

□ 3) 他不太喜欢香港的天气。

□ 4) 香港一年只有两个季节。

□ 5) 香港的春天经常下雨。

□ 6) 香港的夏天常常有台风。

□ 7) 香港的冬天总是阴天。

□ 8) 香港的秋天不冷也不热。

11 写短文

上个星期，朋友送了你一只小猫。写日记介绍一下这只小猫。你要写：

- 它叫什么名字，它多大了
- 它是什么颜色的，它长什么样
- 它喜欢做什么，它喜欢吃什么
- 你要为它做什么

第七课 我家附近有商场

课文 1

1 用所给词语填空

学校	医院	花店	电影院	网球场	篮球场
书店	药店	超市	服装店	快餐店	滑冰场

1) 滑冰的地方叫 滑冰场。
2) 看病的地方叫 医院。
3) 买花的地方叫 花店。
4) 买书的地方叫 书店。
5) 打篮球的地方叫 篮球场。
6) 看电影的地方叫 电影院。
7) 买衣服的地方叫 服装店。
8) 打网球的地方叫 网球场。
9) 买药的地方叫 药店。
10) 上学的地方叫 学校。
11) 买水果、买肉的地方叫 超市。
12) 可以吃到热狗的地方叫 快餐店。

2 根据实际情况回答问题

1) A: 你在这家商店买过衣服吗？ B_1: ________ B_2: ________
2) A: 你在那家电影院看过电影吗？ B_1: ________ B_2: ________
3) A: 你吃过小笼包吗？ B_1: ________ B_2: ________
4) A: 你养过狗吗？ B_1: ________ B_2: ________
5) A: 你喝过粥吗？ B_1: ________ B_2: ________
6) A: 你滑过冰吗？ B_1: ________ B_2: ________

3 看图写句子

A 1) 鞋店对面有水果店。

2) 诊所对面有超市。

3) 鞋店对面有花店。

B 1) 诊所旁边是药店。

2) 花店旁边是水果店。

3) 服装店旁边是鞋店。

C 1) 超市在饭店右边。

2) 药店在诊所右边。

3) 诊所在服装店右边。

4 用所给词语填空

好看　好吃　好听　好喝　好玩

1) 这家服装店的衣服挺 好看 的，但是非常贵。

2) 弟弟觉得可乐很 好喝 。他差不多每天都喝可乐。

3) 那家饭店的汤很 好吃 。喝

4) 奶奶做的小笼包又 好吃 又 好看 。

5) 这个地方不 好玩 。我们去那里吧！

6) 我觉得汉语挺 好听 的。

5 根据实际情况回答问题

1) 你家附近有什么公共设施？

我家附近有两个网球场和一个游泳池。

2) 你家附近有大商场吗？那个商场里有什么商店？

我家附近有很大商场，里有很多书店和三个服装店。

3) 你一般去哪儿买衣服？你跟谁一起去买衣服？

4) 你上个周末去买衣服了吗？买了什么衣服？

5) 你一般去哪个超市买东西？你一般去那里买什么？

6) 你一般去哪个电影院看电影？你喜欢看什么电影？

6 填空

1) 在宠物店你可以看到 猫 、 狗 等等。

2) 在服装店你可以买到 T血衫（恤） 、 衬衫 、 短裤 、 裤子 等等。

3) 在饭店你可以吃到 面包 、 小笼包 、 包子 等等。

4) 在书店你可以买到 小说 、 课本 、 杂志 等等。

5) 商场里有很多商店，有 书店 、 服装店 、 鞋店 、 电影院 等等。

7 写反义词

1) 大→ 小　2) 出→ 进　3) 左→ 右　4) 前→ 后　5) 下→ 上

6) 胖→ 瘦　7) 长→ 短　8) 高→ 短 （矮矮）　9) 接→ 送 （送送）　10) 里→ 外

8 造句

1) 玩　一天：

____

2) 咳嗽　一个月：

____

3) 感冒　一个星期：

____

4) 嗓子疼　两天：

____

5) 休息　两个小时：

____

6) 散步　一个小时：

____

9 阅读理解

我们家上个月搬家了。我们搬进了一幢楼房。

我们住的地方附近有很多公共设施，有商场、游乐场、足球场、学校、医院等等。商场里有电影院、服装店、书店、饭店，还有一个大超市。我爱看电影，所以我周末常跟朋友一起去电影院。我还喜欢看书。差不多每天放学以后我都会去书店看看。我弟弟还很小。他非常喜欢跟朋友们一起去游乐场玩。

我非常喜欢住在这里。

回答问题：

1) 他们家是什么时候搬家的？
上个月

2) 他们家附近有什么公共设施？

3) 他们家附近的商场里有什么商店？

4) 他周末经常做什么？
去电影院

5) 他有什么爱好？

6) 他弟弟喜欢去哪儿玩？
游乐场

10 写短文

画出你家附近的公共设施，然后介绍一下。你要写：

- 你是什么时候搬到这里的
- 你家附近有什么公共设施
- 你常去哪儿，你常去那里做什么
- 你喜欢住在这里吗，为什么

11 阅读理解

春节

春节（农历新年、中国新年）是中国最重要、最热闹的节日。每年的农历正月初一是春节。过春节的时候，北方人会吃饺子，南方人会吃年糕。庆祝春节的活动有放鞭炮、舞龙、舞狮等等。

生词

1. chūn jié 春节 the Spring Festival; Chinese New Year's Day
2. nóng lì 农历 Chinese lunar calendar
3. xīn nián 新年 New Year
4. rè nào 热闹 bustling
5. jié rì 节日 festival
6. zhēng yuè 正月 the first month of the lunar year
7. chū yī 初一 the first day of a lunar month
8. guò 过 spend (time)
9. běi fāng rén 北方人 northerner
10. jiǎo zi 饺子 dumpling
11. nán fāng rén 南方人 southerner
12. nián gāo 年糕 New Year cake
13. qìng zhù 庆祝 celebrate
14. fàng 放 let off
15. biān pào 鞭炮 firecrackers
16. wǔ lóng 舞龙 (perform) the dragon dance
17. wǔ shī 舞狮 (perform) the lion dance

A 填空

1) 春节也叫 农历新年 、中国新年 。

2) 春节是中国 最重要 、最热闹 的节日。

3) 过春节的时候，北方人会吃 饺子 ，南方人会吃 年糕 。

4) 庆祝春节的活动有放鞭炮、舞龙 、舞狮 等等。

B 写意思

1) 历 calendar { 农历 Chinese lunar character / 日历 }

2) 年 Chinese New Year { 年夜饭 / 年糕 }

3) 节 festival { 节日 / 春节 }

C 翻译

1) lunar New Year

2) the most important festival

3) the first day of the first lunar month

4) northerners eat dumplings

5) southerners eat New Year cake

6) activities of New Year celebration

D 看图写词

1) ____________

2) ____________

3) ____________

4) ____________

5) ____________

课文 2

12 判断正误

□ 1) 我家离公园很近。

□ 2) 银行隔壁是一家书店。

□ 3) 公园旁边是一个商场。

□ 4) 书店在快餐店对面。

□ 5) 这个商场有两层。

□ 6) 地铁站在商场下面。

□ 7) 电影院在商场二层。

□ 8) 公共汽车站在地铁站和公园中间。

13 写词语

在这些（zhè xiē）商店，你可以买到：

书店	服装店	超市

14 写时间段

1
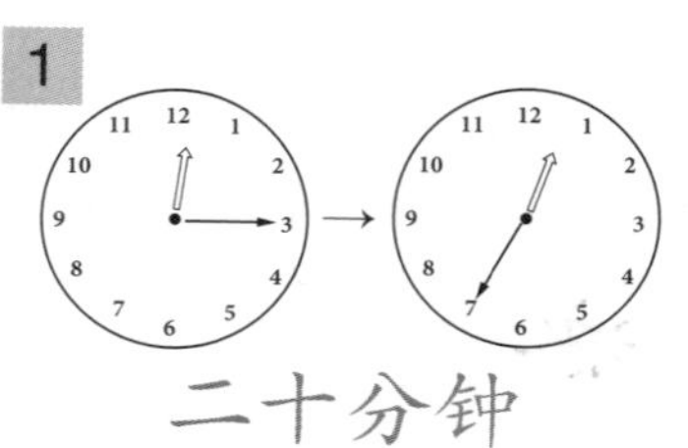

二十分钟

2
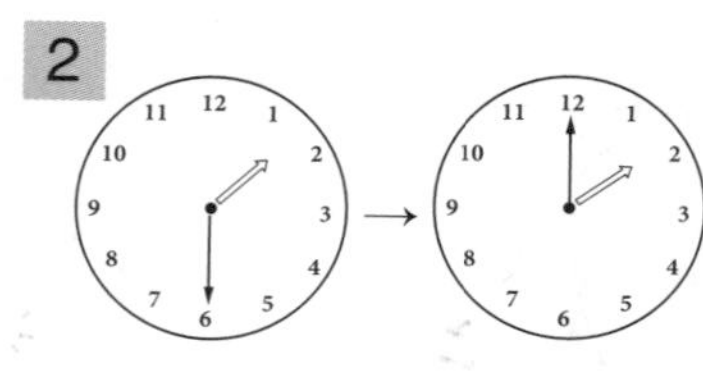

3
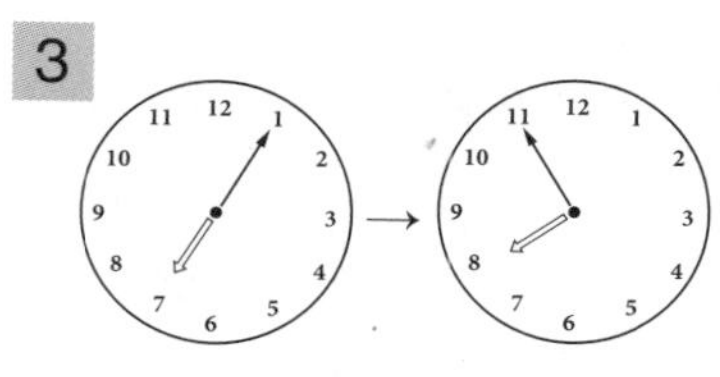

4
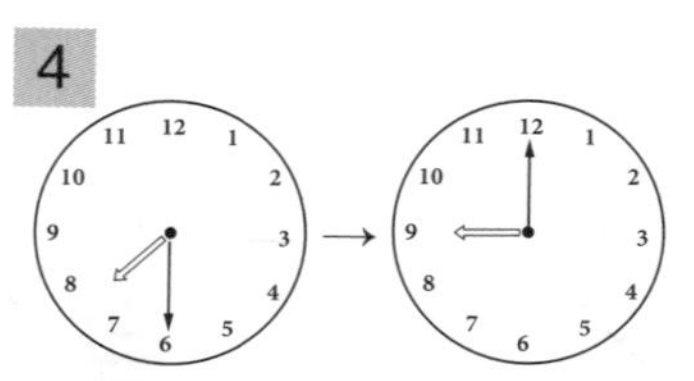

5
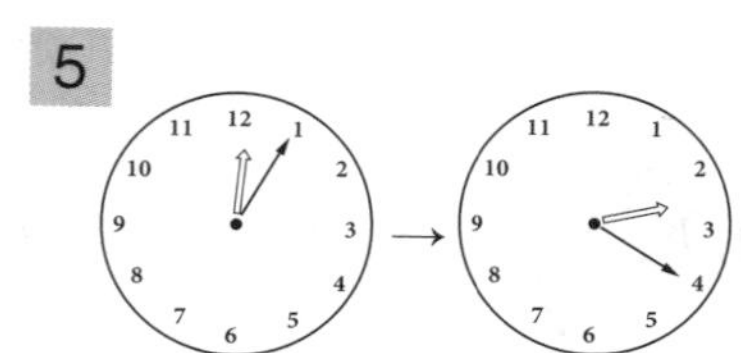

6
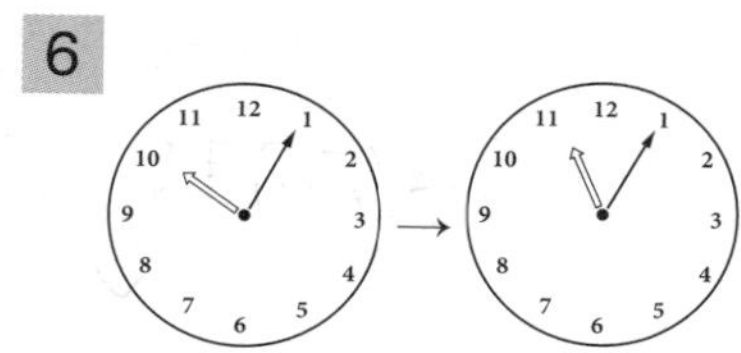

15 看图写句子

①

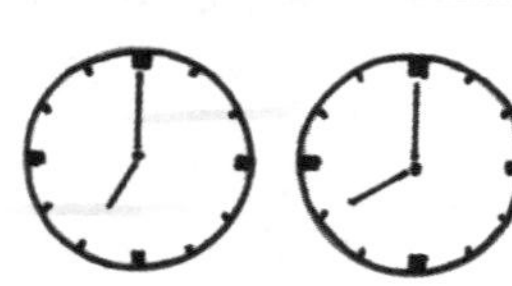
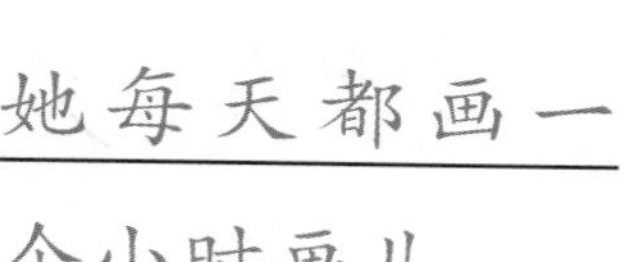

她每天都画一个小时画儿。

④

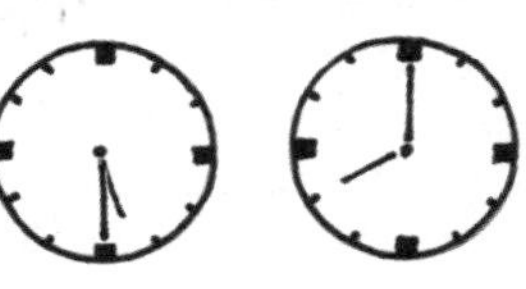

他每天都上网两个小时三十分钟

②

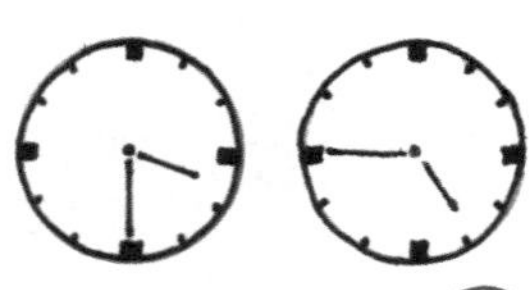

她每天都游泳一个小时十五分钟

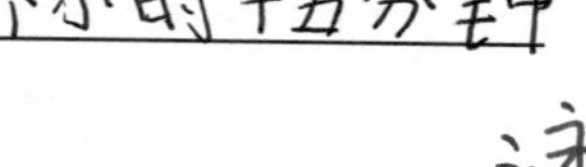

⑤

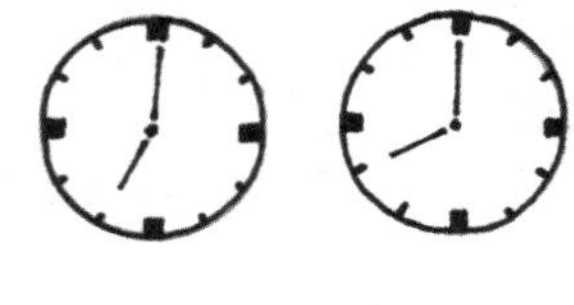

他每天都带狗去散步一个小时

③

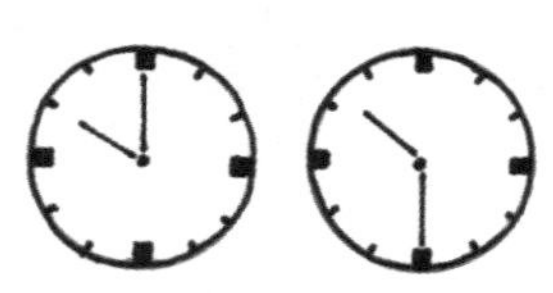

他每天都弹钢琴弹三十分钟

弹 repeat the verb

⑥

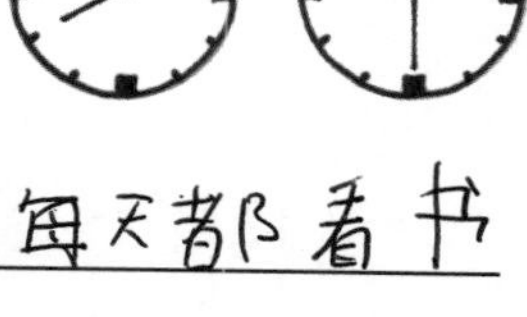

她每天都看书一个小时三十分钟。

16 翻译

① draw a picture

② listen to music

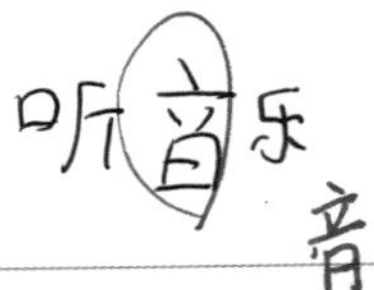

③ swimming

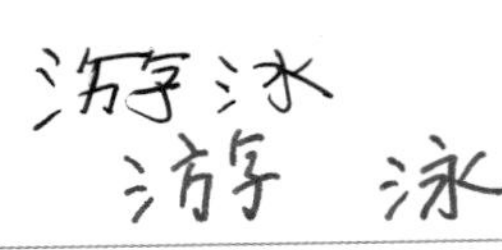

④ play ice hockey

⑤ play the piano

⑥ read a book

⑦ shopping

⑧ go on the Internet

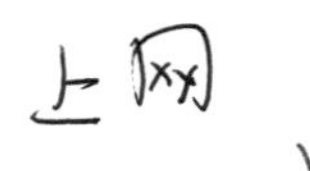

⑨ watch TV

⑩ ice-skating

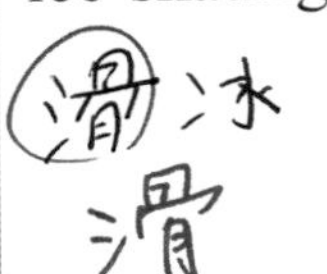

⑪ dance

⑫ jogging

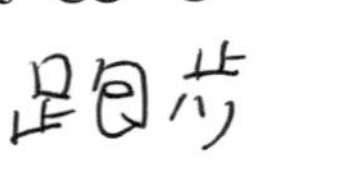

⑬ take a walk

⑭ watch a movie

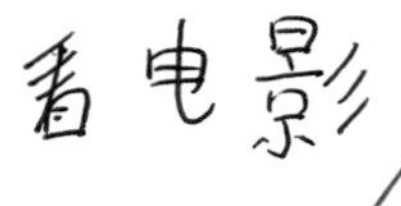

⑮ read a magazine

⑯ play football

17 看图写句子

①

书店就在鞋店隔壁。

④

②

⑤

③

⑥

18 填空

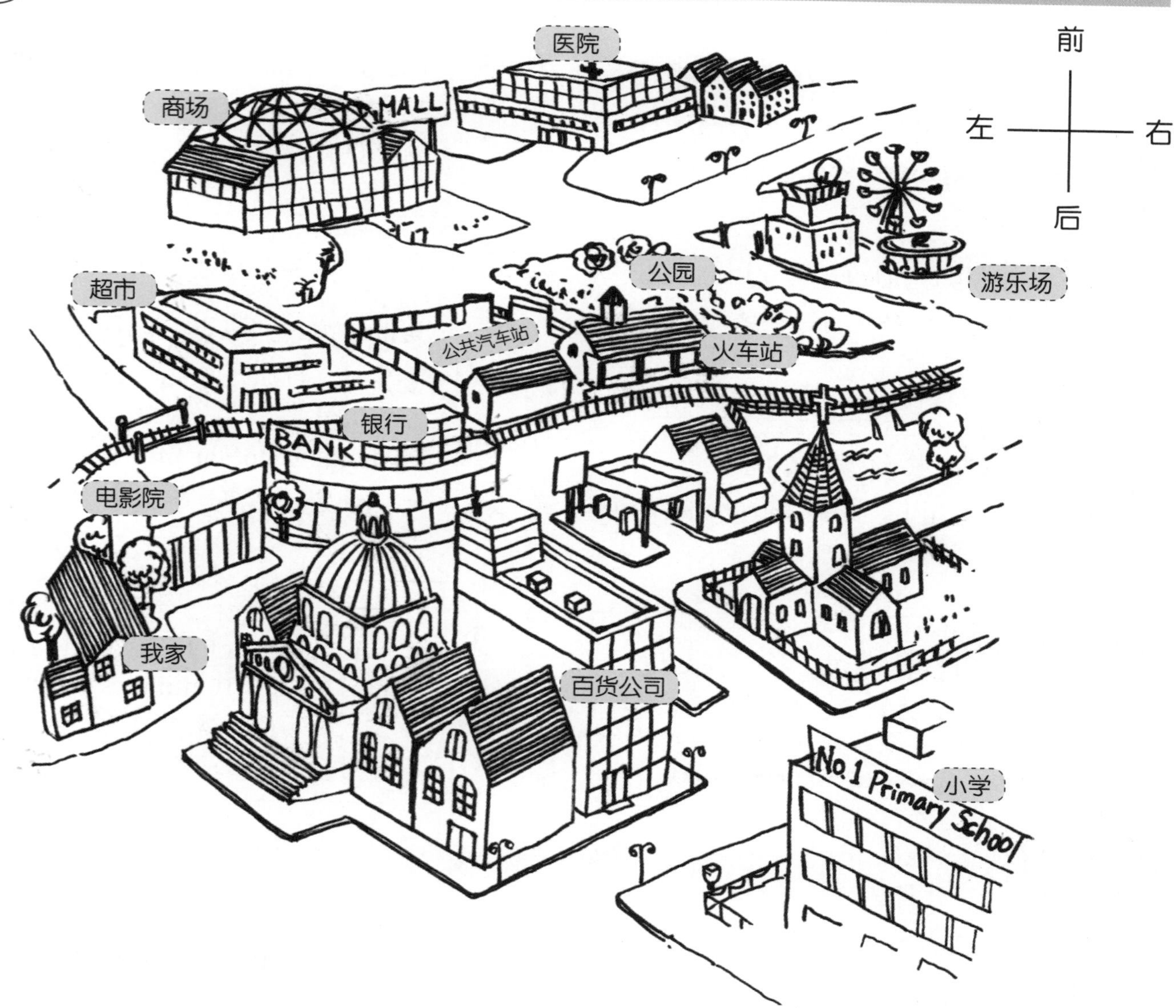

虽然我家__离__市中心很远，但是我家__附近__有很多公共设施，住在这里很__方便__。

我家__附近__是一家电影院，电影院右边是一家__银行__。银行__前__是一个超市。超市附近有一个__商场__和一家医院。我们住的地方附近还有__火车站、公共汽车站、百货公司__和公园。公园就在__火车站__旁边。我们晚上常常去公园散步。

我在第一小学上学。我每天都__走路__上学。

很好.
59/69
Please do corrections

19 翻译

① 百货商店就在超市对面。
The department store is just opposite the supermarket.

② The supermarket is just below the bookstore.
超市市就在书店下面。

③ 书店就在鞋店的楼上。
The book store is just above the shoe store.

④ The restaurant is just below the clothes shop.
饭店就在服装店下面。
饭店就在服装店下面

⑤ 公园离我家不远。
The park is not far from my house.

⑥ My home is not far from my school.
我家离我的学校不远。

⑦ 我们家离电影院很近，走路五分钟就到了。
Our home is near the cinema, it only takes 5 minutes to walk there.

⑧ His home is not far from the city centre. It takes 10 minutes by bus.
他家离市中心不远。坐公共汽车十分钟就到了。

20 连词成句

1) 左边 / 商场 / 有 / 一个滑冰场 / 。→ On the left of the shops there is an ice rink

2) 公共汽车站 / 近 / 离 / 很 / 地铁站 / 。→ The tube station is near the bus stop.

3) 每天都 / 妈妈 / 船 / 上班 / 坐 / 。→ Everyday, mum takes a boat to work.

4) 隔壁 / 一家花店 / 鞋店 / 的 / 是 / 。→ ______

5) 一个 / 附近 / 我家 / 有 / 大公园 / 。→ Our house has a big park nearby

21 写反义词

1) 瘦→ 胖 2) 近→ ____ 3) 晴→ ____ 4) 高→ ____ 5) 前→ 后

6) 去→ 回 7) 少→ ____ 8) 热→ 冷 9) 长→ ____ 10) 左→ 右

22 填空

1) 一 ___ 中学	2) 一 ___ 毛衣	3) 一 ___ 裤子	4) 一 ___ 电影院
5) 一 ___ 皮鞋	6) 一 ___ 帽子	7) 一 ___ 围巾	8) 一 ___ 足球场
9) 一 ___ 饭店	10) 一 ___ 洋房	11) 一 ___ 手套	12) 一 ___ 病假条
13) 一 ___ 厨房	14) 一 ___ 卧室	15) 一 ___ 耳机	16) 一 ___ 运动服

23 阅读理解

我们上个星期六去了叔叔家。他们住的地方太方便了！

虽然他们家离市中心不近，但是附近有百货商店、公共汽车站、超市等等，非常方便。地铁站离他家也不远，走路五分钟就到了。他家附近还有一个大商场，里面有好多商店，有饭店、书店、服装店、鞋店等等。商场对面是一个公园和一所小学。

我堂弟和堂妹就在那所小学上学。他们每天都走路上学。叔叔的公司离他家挺远的。他每天都开车上班。婶婶的公司离她家不远。她坐地铁上班，十五分钟就到了。

回答问题：

1) 他上个周末去哪儿了？

叔叔家

2) 他叔叔家离市中心远吗？

3) 他叔叔家附近有什么公共设施？

4) 他叔叔家离地铁站近吗？

5) 他叔叔家附近有学校吗？在哪儿？

6) 他叔叔每天怎么上班？

24 写短文

给外公外婆写信，介绍一下你们学校附近的设施。你要写：

- 你们学校在哪儿，离你家远吗
- 你每天怎么上学，怎么回家
- 你们学校离市中心远吗
- 你们学校附近有什么公共设施
- 你常去哪儿，你常去那里做什么

25 阅读理解

端午节和中秋节

每年的阴历五月初五是端午节，也叫龙舟节。这天，人们会赛龙舟，吃粽子。每年的阴历八月十五是中秋节，也叫团圆节。这天晚上，月亮又圆又亮。人们会一边吃月饼，一边赏月。孩子们还会打灯笼。

生词

1. duān wǔ jié 端午节 the Dragon Boat Festival
2. zhōng qiū jié 中秋节 Mid-Autumn Festival
3. yīn lì 阴历 lunar calendar
4. lóngzhōu 龙舟 dragon boat
   lóngzhōu jié 龙舟节 the Dragon Boat Festival
5. sài 赛 match; game
6. zòng zi 粽子 pyramid-shaped dumpling made of glutinous rice wrapped in reed leaves
7. tuányuán 团圆 reunion　tuányuán jié 团圆节 Mid-Autumn Festival
8. yuè liang 月亮 moon
9. liàng 亮 bright
10. yuè bǐng 月饼 moon cake
11. shǎng 赏 appreciate; enjoy
12. hái zi 孩子 child
13. dǎ 打 raise; hold
14. dēnglong 灯笼 lantern

A 填空

1) 每年的阴历 __________ 是端午节，也叫 __________。

2) 每年的阴历 __________ 是中秋节，也叫 __________。

3) 端午节，人们会吃 __________，赛 __________。

4) 中秋节，人们会吃 __________，赏 __________。

5) 中秋节的晚上，月亮 __________。

B 写意思

1) 赛 (match; game) { 赛龙舟 / 网球赛

2) 秋 (autumn) { 中秋节 / 秋天

3) 饼 (a round flat cake) { 月饼 / 大饼

4) 灯 (lamp) { 灯笼 / 电灯

C 翻译

1) The moon is round and bright.

2) People often eat moon cakes while appreciating the full moon.

3) On the day of the Dragon Boat Festival, every family eats pyramid-shaped dumplings.

D 填空

1) 吃 月饼　2) ___ 灯笼　3) ___ 龙舟　4) ___ 粽子

5) ___ 月　6) ___ 龙　7) ___ 狮　8) ___ 春节

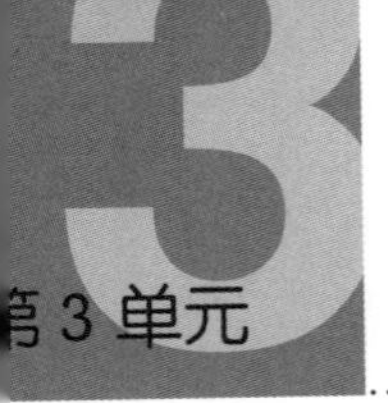

第八课 我的新朋友

课文 1

1 判断正误

☐ 1) 小花两年以前比现在瘦。 Xiao Chong was thinner two years ago than she is now

☐ 2) 小猫两年以前比现在胖。 Xiao Yu was fatter 2 years ago than they are now.

☐ 3) 高明两年以前比现在胖。 Gao Ming was fatter two years ago than he is now.

☐ 4) 两年以前小花的头发比现在的短。 2 years ago, Xiao Chengs hair was shorter than it is now.

☐ 5) 高明两年以前穿的衣服跟现在的一样。 Gao Ming wore the same clothes two years ago as he does now.

☐ 6) 小花两年以前穿的皮鞋跟现在的一样。 Xiao Chong wore the same shoes two years ago as she does now.

2 写反义词

1) 远→ ____	2) 冷→ ____	3) 低→ ____	4) 前面→ ____
5) 胖→ ____	6) 进→ ____	7) 送→ ____	8) 里面→ ____
9) 短→ ____	10) 来→ ____	11) 早→ ____	12) 右边→ ____

3 用所给词语填空

讲 画 打 喝 拉 请 弹 交 买 看 踢 吃

1) 爷爷的爱好是 画 国画。

2) 我在学校 交 了三个新朋友。

3) 他每个周末都跟朋友一起去 打 排球。

4) 下个星期天是我的生日。我会 请 几个朋友来我们家玩。

5) 我姐姐很爱 讲 笑话。

6) 他从四岁开始学 拉 小提琴。

7) 她总是在这家服装店 买 衣服。

8) 我明天会去电影院 看 电影。

9) 我每个星期三下午都会 踢 半小时足球。

10) 我们家每个周末都去那家饭店 吃 晚饭。

11) 他每天都 弹 一个小时钢琴。

12) 弟弟非常喜欢 喝 可乐。

4 看图写句子

A
1) 小新的衣服跟小明的不一样。
2) 小新的头发跟小明的不一样。
3) 小新的爱好跟小明的不一样。

B
1) 小新的眼睛比小明的大。
2) 小新的头发比小明的长。
3) 小新的皮鞋比小明的大。

5 配对

☐ 1) 你们同岁吗？ a) 他特别喜欢踢足球。

☐ 2) 你们同班吗？ b) 她长得高高的。她的头发卷卷的。

☐ 3) 他有什么爱好？ c) 他比我大。

☐ 4) 我想请小冬来我们家。 d) 真的吗？

☐ 5) 她长什么样？ e) 对，我们在一个班。

☐ 6) 你的手机跟我的一样。 f) 好啊！周末请他来玩吧！

6 造句

A

1) 裙子：

她的裙子跟我的一样。

2) 运动鞋：

____

3) 爱好：

____

4) 书包：

____

B

1) 电脑：

我的电脑比她的贵。

2) 房间：

____

3) 耳机：

____

4) 头发：

____

7 填空

1) 打 篮球	2) 养 ____	3) 穿 ____	4) 踢 ____
5) 吃 ____	6) 喝 ____	7) 看 ____	8) 买 ____
9) 拉 ____	10) 弹 ____	11) 交 ____	12) 讲 ____
13) 画 ____	14) 做 ____	15) 量 ____	16) 开 ____

8 翻译

① His mobile phone is the same as mine.
他的手机跟我的一样。✓

② My room is bigger than my elder sister's.
我的房间比组组的大。✓

③ Her hair is longer than mine.
她的头发比我的长。✓

④ I have the same hobbies as my elder sister.
我的爱好跟组组的一样。✓

⑤ My dress is the same as hers.
我的连衣裙跟她的一样。✓

⑥ My school is smaller than yours.
我的学校比你的小
你 ✓
你 你 你

9 阅读理解

转到新学校以后，我很快就交了一个新朋友。我觉得特别开心！

我的新朋友叫王文琴。她是中国人，但是她是在英国出生、长大的。因为她爸爸在北京工作，所以他们一家人上个月搬到了北京。

王文琴和我是同班同学。我们同岁，她今年也十二岁。她长得比我高。她的头发比我的长。她的爱好跟我的一样。我们都喜欢打网球和打排球。我们还喜欢画画儿。她会画国画，我会画油画。

上个周末我去了她家。这个周末我会请她来我家玩。

判断正误：

F 1) 王文琴是在中国出生，在英国长大的。

F 2) 王文琴的爸爸现在在英国工作。

T 3) 她和王文琴同班。

T 4) 她今年十二岁。

T 5) 她比王文琴矮。

T 6) 王文琴爱打排球。

F 7) 王文琴会画油画。

T 8) 她去过王文琴家。

10 写短文

介绍你的朋友。你要写：

- 他／她的姓名、年龄
- 他／她长什么样
- 他／她有什么爱好，他／她的爱好跟你的一样吗
- 你们常常一起做什么

11 阅读理解

中国的饮食文化

中国的饮食文化历史悠久。因为每个地区的气候、地理、历史、物产和饮食风俗不同，所以中国菜有很多流派。其中最有代表性的八大菜系是：鲁菜、川菜、粤菜、闽菜、苏菜、浙菜、湘菜和徽菜。

生词

1. 气候 (qì hòu) climate
2. 地理 (dì lǐ) geography
3. 物产 (wù chǎn) products
4. 风俗 (fēng sú) custom
5. 流派 (liú pài) sect
6. 代表 (dài biǎo) represent　代表性 (dài biǎoxìng) representativeness
7. 菜系 (cài xì) style of cooking
8. 鲁 (lǔ) another name for Shandong Province　鲁菜 (lǔ cài) dishes of Shandong style
9. 川 (chuān) short for Sichuan Province　川菜 (chuān cài) dishes of Sichuan style
10. 粤 (yuè) another name for Guangdong Province　粤菜 (yuè cài) dishes of Guangdong style
11. 闽 (mǐn) another name for Fujian Province　闽菜 (mǐn cài) dishes of Fujian style
12. 苏 (sū) short for Jiangsu Province　苏菜 (sū cài) dishes of Jiangsu style
13. 浙 (zhè) short for Zhejiang Province　浙菜 (zhè cài) dishes of Zhejiang style
14. 湘 (xiāng) another name for Hunan Province　湘菜 (xiāng cài) dishes of Hunan style
15. 徽 (huī) Huizhou in Anhui Province　徽菜 (huī cài) dishes for Huizhou style

A 填空

1) 中国的饮食文化历史 ________。

2) 因为每个地区的 ________、________、________、________ 和 ________ 不同，所以中国菜有很多流派。

3) 中国菜有 ________ 菜系。

B 写意思

1) 久 long { 好久不见 / 悠久

2) 代 take the place of { 代表 / 代课

3) 物 thing { 物产 / 宠物

4) 饮 drink { 热饮 / 冷饮

C 翻译

1) long history of dietary culture

2) the most representative sect

3) the climate of this region

4) the history of this region

D 上网找菜名

1) 鲁菜：糖醋鲤鱼(táng cù lǐ yú)、________

2) 川菜：麻婆豆腐(má pó dòu fu)、________

3) 粤菜：白切鸡(bái qiē jī)、________

4) 闽菜：盐水虾(yán shuǐ xiā)、________

5) 苏菜：狮子头(shī zi tóu)、________

6) 浙菜：西湖醋鱼(xī hú cù yú)、________

7) 湘菜：剁椒鱼头(duò jiāo yú tóu)、________

8) 徽菜：椒盐虾仁(jiāo yán xiā rén)、________

课文 2

12 词语归类

1) 打羽毛球	2) 画国画	3) 打篮球	4) 活泼	5) 滑雪
6) 打乒乓球	7) 画画儿	8) 看电影	9) 打排球	10) 好动
11) 拉小提琴	12) 踢足球	13) 画油画	14) 弹钢琴	15) 滑冰

爱好	性格 (xìng gé)

13 看图写短文

① 

② 

③ 

她长得不太好看。她长得有点儿胖。她的头发是卷发。她的嘴很大。她穿了一条连衣裙和一双黑皮鞋。

14 看图写句子

① 

他每天都游一个半小时泳。
他游泳游得很快。

② 

打半小时乒乓球
他打乒乓球打得很好

③ 

打一个小时羽毛球
他打羽毛打得很好。

④ 

⑤ 

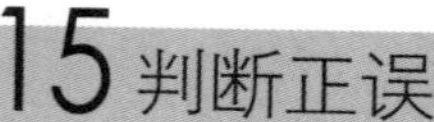

15 判断正误

王云

李美

A
- ☐ 1) 王云比李美胖。
- ☐ 2) 王云的头发比李美的长。
- ☐ 3) 李美长得比王云高。
- ☐ 4) 她们穿相同的衣服。

B
- ☐ 1) 小舒的头发比马田的短。
- ☐ 2) 小舒的眼睛比马田的大。
- ☐ 3) 小舒的 T 恤衫跟马田的一样。
- ☐ 4) 他们穿相同的鞋子。

小舒

马田

16 根据实际情况回答问题

1) 新学年你们一般什么时候开学？

2) 你们一个学年有多少个星期？

3) 你们早上几点上课？下午几点放学？

4) 你们每天上几节课？一节课多长时间？

5) 你们一个星期有几节汉语课？

6) 你们学校的学生穿校服吗？穿什么校服？

17 造句

A 1) 起床　洗澡　吃早饭：

起床以后，我一般先洗澡，然后吃早饭。

2) 到家　看电视　做作业：

到家以后，我每天都先看电视，然后做作业

视

3) 放学　打网球　回家：

B 1) 上汉语课　休息：

上完汉语课以后，我们休息了一刻钟。

2) 看电影　去朋友家：

看电影以后，我去朋友家两个小时。

3) 做作业　去公园：

C 1) 两点　去朋友家：

两点以后，我会去朋友家。

2) 一年　去中国工作：

一年以后，我会去中国工作。

3) 两个月　去北京上大学：

18 用所给词语填空

节　只　张　件　所　顶　副　条　个　口

1) 这 ____ 帽子比那 ____ 新。

2) 在我们学校，每 ____ 课四十五分钟。

3) 我们家养了两 ____ 小狗。

4) 百货商店的对面是一 ____ 学校。

5) 我昨天在商场买了一 ____ 手套。

6) 我家有四 ____ 人：爸爸、妈妈、姐姐和我。

7) 我今天交了一 ____ 新朋友。

8) 这 ____ 裙子跟我的一样。

9) 这 ____ 绿色的毛衣比那 ____ 红色的小。

10) 这 ____ 桌子比那 ____ 桌子贵。

19 造句

1) 滑雪　很好：

他滑雪滑得很好。

2) 拉小提琴　特别好：

她拉小提琴得特别好。

3) 打羽毛球　最好：

我打羽毛球得最好。

4) 打篮球　非常好：

他打篮球非常好。

5) 打乒乓球　挺好的：

____

6) 跳舞　很好：

____

20 根据实际情况回答问题

1) 在你们班，谁是热心人？

2) 在你们班，谁爱讲笑话？

3) 在你们班，谁喜欢画画儿？

4) 在你们班，谁喜欢运动？

5) 在你们班，谁会打乒乓球？

6) 在你们班，谁和你同岁？

7) 在你们班，谁的个子比你的高？

8) 在你们班，谁的爱好跟你的一样？

21 模仿例子写短文

这是我妈妈。我妈妈个子挺高的。她长得很漂亮。她眼睛大大的、鼻子高高的、嘴巴小小的。她的头发挺长的。她有很多爱好，比如拉小提琴、游泳、滑雪、画油画等等。

Stick a photo of anyone in your family and describe him/her.

22 造句

1) 和……同岁：

我和我朋友同岁。

2) ……跟……一样：

我的衣服跟我姐姐的一样。

3) 跟……一起：

我没有时间跟它一起玩。

4) 又……又……：

我的宠物又聪明又活泼。

5) 虽然……，但是……：

虽然我病了，但是妈妈还是让我去上学。

6) 因为……，所以……：

因为它身上的毛是白色的，所以它叫"白白"。

23 阅读理解

虽然今天是上中学的第一天，但是我不太担心，因为我在这所学校有一个好朋友。

我的朋友叫王亮。王亮和我同岁。他是加拿大人，但是在香港出生的。他两岁的时候和家人去了加拿大，五岁的时候回到香港上小学。

我和王亮上了同一所小学。我们是同班同学。那时候，每天早上我们都一起走路上学，放学以后我们也一起回家。周末，有时候我去他家玩，有时候他来我家玩。我和王亮有相同的爱好：打乒乓球。我们经常一起打乒乓球。他打乒乓球打得比我好。

回答问题：

1) 他上中学的第一天担心吗？为什么？

2) 王亮是在哪儿出生的？

3) 王亮小时候在加拿大住了几年？

4) 王亮是在哪儿上小学的？

5) 上小学的时候，他和王亮怎么去学校？

6) 他和王亮有什么爱好？

24 写短文

讲一讲你上中学的第一天。你要写：

- 你是哪年、哪天开始上中学的
- 那天你去学校的时候担心吗
- 那天你交到新朋友了吗
- 介绍一下这个朋友

25 阅读理解

茶

茶是世界三大饮料（茶、咖啡、可可）之一，对人的身体健康非常有益。茶也是中国的国饮。中国是世界上最早认识茶，最早种茶、饮茶的国家。中国的茶叶有很多种，有绿茶、红茶、乌龙茶、花茶等等。

生词

1. 茶 (chá) tea
2. 饮 (yǐn) drink　饮料 (yǐn liào) drink
3. 咖啡 (kā fēi) coffee
4. 可可 (kě kě) cocoa
5. 身体 (shēn tǐ) body
6. 健康 (jiàn kāng) health
7. 有益 (yǒu yì) beneficial
8. 认识 (rèn shi) know; understand
9. 种 (zhòng) grow
10. 茶叶 (chá yè) tea (leaves)
11. 绿茶 (lǜ chá) green tea
12. 红茶 (hóng chá) black tea
13. 乌龙茶 (wū lóng chá) oolong tea
14. 花茶 (huā chá) scented tea

A 填空

1) 茶是世界 ______ 饮料之一。

2) 世界三大饮料是 ______、______ 和 ______。

3) 中国的茶叶有很多种，有 ______、______、______、______ 等等。

B 写意思

1) 体 (body) { 身体 / 体温

2) 花 (flower) { 花茶 / 花园

3) 种 (grow) { 种茶 / 种花

4) 叶 (leaf) { 茶叶 / 红叶

C 模仿例子英译汉

1) 例子：茶是世界三大饮料之一。
China is one of the four ancient civilizations in the world.

2) 例子：茶对人的身体健康非常有益。
Eating fruit is very good to one's health.

3) 例子：中国是世界上最早认识茶的国家。
China is the first country started drinking tea.

4) 例子：中国的茶叶有很多种，有绿茶、红茶、乌龙茶等等。
The shop has a variety of drinks, tea, coffee and fruit juice etc.

D 看图写词

① 

② 

③ 

④ 

⑤ 

第九课　我给朋友打电话

课文 1

1 用所给句子写对话

①

a) 你好！

b) 王阿姨再见！

c) 好。再见！

d) 没有急事。我明天去学校找她吧。

e) 你是家文吧？对不起，小花睡觉了。你找她有事吗？

f) 王阿姨，您好！请问，小花在家吗？

（家文打电话找小花）

A: ____________________

B: ____________________

A: ____________________

B: ____________________

A: ____________________

B: ____________________

②

a) 李美，我是家家。星期五我们学校有音乐会。你想去吗？

b) 晚上七点半。

c) 真的吗？音乐会几点开始？

d) 好。再见！

e) 我不知道妈妈让不让我去。我先问问她，然后打电话告诉你吧！

f) 没问题！我等你的电话。

（家家给李美打电话）

A: ____________________

B: ____________________

A: ____________________

B: ____________________

A: ____________________

B: ____________________

2 选择

a) 给 for　b) 给 to

1) 医生 ___ 弟弟看了病，还 ___ 他开了一张病假条。

2) 护士 ___ 弟弟量了体温。

3) 妈妈 ___ 老师发了电邮。

4) 我每个星期天都 ___ 我的小狗洗澡。

5) 你可以今天晚上 ___ 他打电话。

6) 奶奶每天都 ___ 我们做晚饭。

3 翻译

① 妈妈叫我多看书，少看电视。

② Dad asks me to do more sports.

③ 请让他给我打电话。

④ Please ask him to send me an E-mail.

⑤ 请告诉她我晚上八点回来。

⑥ Please tell the teacher that he is sick today.

⑦ 请告诉我你家的电话号码。

⑧ Please tell me your name and mobile phone number.

4 组词

1) 电 ___　2) 问 ___　3) 告 ___　4) 知 ___　5) 已 ___

6) 滑 ___　7) 担 ___　8) 漂 ___　9) 相 ___　10) 个 ___

□ 1) 你知道他几点回来吗？

□ 2) 你知道他要去哪儿吗？

□ 3) 你知道他明天怎么来吗？

□ 4) 你知道他的电话号码吗？

□ 5) 你知道我养了两只狗吗？

□ 6) 你知道他要上大学了吗？

a) 他要去超市买一点儿东西。

b) 不知道。你去问问田月吧！

c) 他可能会坐出租车来。

d) 他晚上十点左右回来。

e) 知道。他今年要去美国上大学。

f) 不知道。你是什么时候开始养宠物的？

6 用所给词语填空

找　告诉　回来　说好　让　发

1) 请 ______ 我他的手机号码。

2) 请 ______ 他给我打电话。

3) 你 ______ 他有急事吗？

4) 他什么时候 ______ ？

5) 我们 ______ 今天晚上去看电影。

6) 你可以给他 ______ 电邮。

7 完成对话

1) A: ______________________________

B: 小英子不在家。你是哪一位？

2) A: ______________________________

B: 没问题！他回来以后，我告诉他

3) A: 你找她有事吗？

B: ______________________________

4) A: 他什么时候回来？

B: ______________________________

8 连词成句

1) 找／有／老师／你／急事／。→ ______

2) 让／电邮／请／发／给我／他／。→ ______

3) 电影院／去／她／看电影／常／。→ ______

4) 夜间／可能／小雨／有／明天／。→ ______

9 阅读理解

天明：妈妈，你给我打电话，有急事吗？

妈妈：没有急事。你现在在哪儿？你回家了吗？

天明：我还在学校。放学以后，我和同学打了一会儿篮球。我现在就回家。

妈妈：你跟弟弟在一起吗？

天明：对。我们俩会一起回家。

妈妈：你爸爸出差还没回来。我在公司的工作还没做完，所以今天会晚一点儿回家。你们俩晚饭去奶奶家吃吧！

天明：那你几点回家？

妈妈：我不知道，可能九点，也可能十点。如果你有事，给我打电话。

天明：好。再见！

判断正误：

☐ 1) 妈妈找天明有急事。

☐ 2) 天明已经到家了。

☐ 3) 天明会跟弟弟一起回家。

☐ 4) 爸爸今天不在家。

☐ 5) 妈妈现在还在公司。

☐ 6) 妈妈下班以后会给天明和弟弟做晚饭。

☐ 7) 妈妈今天晚上八点左右回家。

☐ 8) 如果有问题，天明可以给妈妈打电话。

10 写短文

放学以后，弟弟觉得不舒服。你给妈妈打电话，让她马上回家。写一个对话。你要写：

- 弟弟觉得哪儿不舒服
- 他是什么时候开始觉得不舒服的
- 你们中午吃了什么，喝了什么
- 你想让妈妈早点儿回家

11 阅读理解

中国书画

国画有水墨画和彩墨画两种，主要画人物、山水和花鸟。从画法上，国画分工笔画和写意画两大类。国画上除了画儿，一般还有用漂亮的书法写的诗句。笔、墨、纸、砚是中国人画国画、写毛笔字的重要工具。它们被称为文房四宝。

生词

1. shū huà 书画 painting and calligraphy
2. shuǐ mò huà 水墨画 ink and wash painting
3. cǎi mò huà 彩墨画 ink and colour painting
4. rén wù 人物 figure
5. shān shuǐ 山水 landscape
6. huā niǎo 花鸟 flowers and birds
7. huà fǎ 画法 technique of painting or drawing
8. gōng bǐ huà 工笔画 drawing made with fine strokes
9. xiě 写 write　xiě yì huà 写意画 freehand brushwork aiming at expressing the author's impression
10. chú le 除了 besides
11. shū fǎ 书法 calligraphy
12. shī jù 诗句 verse
13. bǐ 笔 pen
14. mò 墨 ink stick
15. zhǐ 纸 paper
16. yàn 砚 inkstone
17. máo bǐ 毛笔 writing brush
18. gōng jù 工具 tool
19. wénfáng sì bǎo 文房四宝 the four treasures of the study

A 填空

1) 国画有 ______ 和 ______ 两种。

2) 国画主要画 ______、______ 和 ______。

3) 从画法上，国画分 ______ 和 ______ 两大类。

4) 中国人画国画、写毛笔字要用 ______、______、______、______。

B 写意思

1) 文 literature { 文房四宝 / 文人 }

2) 画 drawing; painting { 水墨画 / 写意画 }

3) 具 tool { 工具 / 玩具 }

4) 笔 pen { 毛笔 / 笔名 }

C 模仿例子英译汉

1) 例子：国画主要画人物、山水和花鸟。

Fast food mainly includes hotdogs, sandwiches and pizzas.

2) 例子：国画上除了画儿，一般还有诗句。

Besides novels, there are also magazines on the bookshelf.

D 看图写词

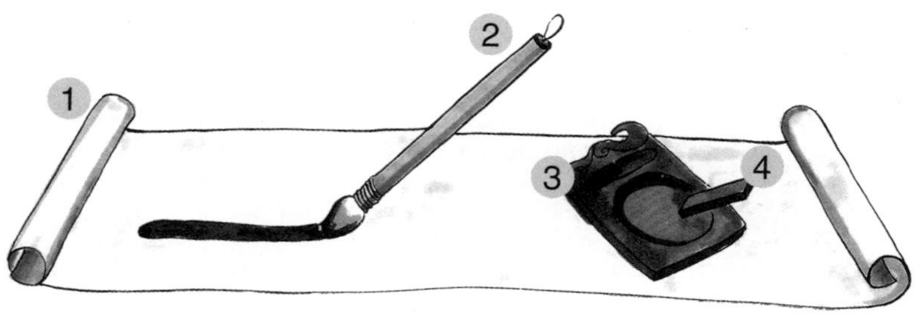

1) ______ 2) ______ 3) ______ 4) ______

课文 2

12 用所给词语填空

穿
戴
带

1) 你们学校的学生 ____ 校服吗？
2) 周末你喜欢 ____ 什么衣服？
3) ____ 帽子的那个人是谁？
4) 我今天 ____ 了围巾和手套，所以我不觉得冷。
5) 我生病了，妈妈 ____ 我去了医院。
6) 我 ____ 这条连衣裙，____ 哪顶帽子好看？
7) 今天晚上我们要去饭店吃饭，你不能 ____ 牛仔裤。
8) 我每天晚上都 ____ 狗去散步。

13 选择

a) 过 (guo) indicate an experience　b) 过 (guò) spend (time)

1) 你戴 ____ 这顶帽子吗？
2) 我学 ____ 拉小提琴。
3) 寒假你打算在哪儿 ____ ？
4) 我小时候去 ____ 北京。
5) 今年的生日你打算怎么 ____ ？
6) 去年暑假我是在外婆家 ____ 的。

14 填空

1) 一 ___ 电影　2) 一 ___ 楼房　3) 一 ___ 帽子　4) 一 ___ 狗
5) 一 ___ 手套　6) 一 ___ 袜子　7) 一 ___ 律师　8) 一 ___ 汉语课
9) 一 ___ 耳机　10) 一 ___ 裤子　11) 一 ___ 裙子　12) 一 ___ 运动服
13) 一 ___ 衬衫　14) 一 ___ 卧室　15) 一 ___ 医院　16) 一 ___ 病假条

15 看图写句子

① 玩　7月8日–7月10日

他们在北京玩了三天。

② 病　3月1日–3月3日

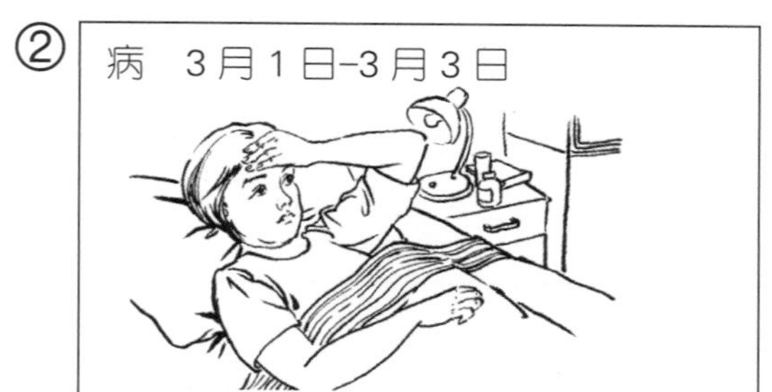

③ 打电话　16:30–16:50

④ 拉小提琴　15:15–15:45

⑤ 散步　14:00–15:00

⑥ 放假　七月–八月

16 翻译

1) 今年暑假我们要去北京。

2) 你应该先给他打一个电话。

3) 爸爸下个月可能去上海出差。

4) 已经十点了，你得回家了。

5) 你明天会去报名吗？

6) 我想去朋友家玩，可以吗？

6 给分句完成句子

a) 你可以上一会儿网。 d) 你可以给他发电邮。
b) 你可以给我打电话。 e) 你得戴帽子和围巾。
c) 你得赶快报名。

1) 如果你想去北京大学学汉语，______________________

2) 如果你已经做完作业了，______________________

3) 今天很冷。如果你要出去，______________________

4) 如果你有急事，______________________

5) 如果你想知道为什么他没来上学，______________________

18 根据实际情况回答问题

1) 你们学校一年有几个假期？

2) 你们一般什么时候开始放暑假？

3) 暑假你一般做什么？

4) 今年暑假你打算怎么过？

5) 寒假你们一般放几个星期？

6) 寒假你一般在哪儿过？

7) 你去过北京吗？你是什么时候去的？

8) 明年寒假你会去北京吗？你打算去那里做什么？

19 选择

a) 得 (de) a particle　b) 得 (děi) have to

1) 哥哥打网球打 ____ 特别好。
2) 你 ____ 少吃肉，多吃菜。
3) 你 ____ 在家休息两天。
4) 他打羽毛球打 ____ 挺好的。
5) 今年寒假我过 ____ 很高兴。
6) 他在这里玩 ____ 很开心。
7) 你到学校以后 ____ 给她打一个电话。
8) 他长 ____ 非常漂亮。
9) 如果你想去北京，你 ____ 赶快报名。
10) 我 ____ 赶快给她回电邮。

20 翻译

① 今年暑假我打算去上海过。

② Where do you plan to go for your winter holidays?

③ 如果我有一个星期的假期，我想去西安。

④ If you go to China, you should visit Beijing.

⑤ 如果你想参加课外活动，你得赶快报名。

⑥ If you want to go to Beijing to study Chinese, you have to register quickly.

⑦ 我打算和哥哥一起去香港玩十天。

⑧ I am planning to stay with my grandma for two weeks.

21 模仿例子写短文

北京的天气

北京一年有四个季节：春、夏、秋、冬。

北京的春天常刮风，很少下雨。北京的夏天很热，常常是晴天，不常下雨。北京的秋天天气最好，不冷也不热。北京的冬天很冷，但是不常下雪。

我很喜欢北京，但是不喜欢北京的天气。因为北京的夏天太热了，冬天太冷了。

______ 的天气

______

______

______

______

______

______

______

______

______

22 配对

① 她穿连衣裙和黑皮鞋。她的个子不太高。她有漂亮的卷发。 ☐

② 他穿白色的衬衫、黑色的毛衣和白色的运动鞋。他的头发不长。 ☐

③ 他穿白色的衬衫、灰色的长裤和黑色的皮鞋。他长得很高。 ☐

④ 她穿白色的衬衫、黑色的短裙和黑色的皮鞋。她的头发不长也不短。 ☐

23 组词

1) 放假→ ____　2) 报名→ ____　3) 相同→ ____

4) 比如→ ____　5) 天气→ ____　6) 中国→ ____

7) 已经→ ____　8) 亲爱→ ____　9) 地方→ ____

10) 小时→ ____　11) 厨房→ ____　12) 炒面→ ____

24 阅读理解

亲爱的李乐：

你好！

我看到你的电邮了。我们学校十二月二十号开始放寒假。

这个假期你真的会去北京大学学汉语吗？我觉得我也应该去，但是我不喜欢寒冷的天气，所以我打算明年暑假去北京。那时候爸爸妈妈可以跟我一起去。

这个假期我们一家人会去新加坡度假。听说新加坡有很多好玩的地方。我们打算在那里待十天。

你回来以后给我打电话吧！

祝你玩得开心！

小雨

回答问题：

1) 小雨的学校哪天开始放寒假？

2) 他打算什么时候去北京？

3) 他会跟谁一起去北京？

4) 他这个寒假打算去哪里？

5) 他会在那里待多长时间？

6) 他让李乐回来以后做什么？

25 写短文

给你的朋友写一封电邮。你要写：

- 你的学校什么时候开始放寒假
- 你想去北京学汉语吗
- 你打算这个寒假去北京还是明年暑假去北京
- 你这个寒假会去哪儿，会跟谁一起去，会去几个星期

26 阅读理解

风筝

中国是风筝的故乡。风筝在中国有两千多年的历史。风筝的形状主要是模仿大自然中的生物，比如雀鸟、昆虫、动物等等。风筝一般是用纸、丝绢、尼龙布做的，风筝的骨架一般是用竹子做的。春天是放风筝的好季节。

生词

1. fēng zheng 风筝 kite
2. gù xiāng 故乡 native place; hometown
3. xíng zhuàng 形状 shape; form
4. mó fǎng 模仿 imitate
5. dà zì rán 大自然 nature
6. shēng wù 生物 living things
7. què 雀 sparrow
8. niǎo 鸟 bird
9. kūn chóng 昆虫 insect
10. dòng wù 动物 animal
11. sī 丝 silk
12. juān 绢 thin, tough silk
13. ní lóng 尼龙 nylon
14. bù 布 fabric
15. gǔ jià 骨架 skeleton; framework
16. zhú zi 竹子 bamboo

A 填空

1) 中国是风筝的 ______。风筝在中国有 ______ 年的历史。

2) 风筝的形状主要是模仿大自然中的 ______。

3) 风筝一般是用 ______、______、______ 做的，风筝的骨架一般是用 ______ 做的。

4) ______ 是放风筝的好季节。

B 写意思

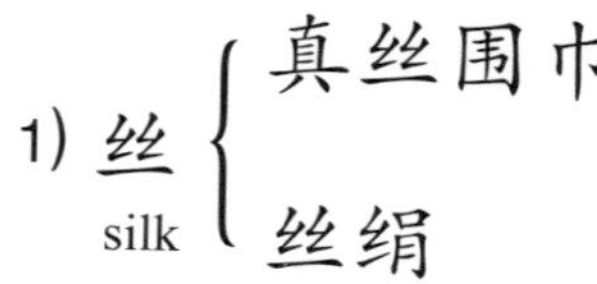

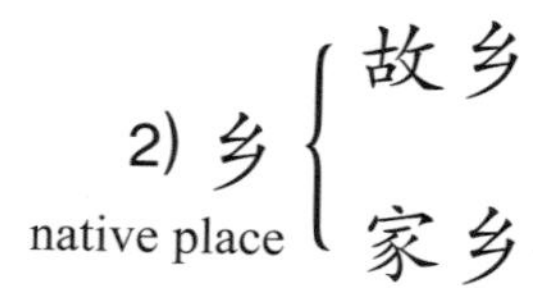

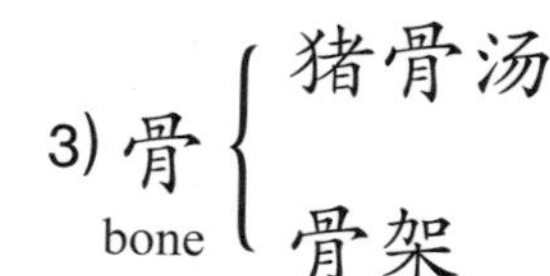

C 模仿例子英译汉

1) 例子：中国是风筝的故乡。

Shanghai is my hometown.

2) 例子：风筝有两千多年的历史。

Our school has more than 100 years of history.

3) 例子：风筝的骨架一般是用竹子做的。

Writing brushes are used to paint Chinese paintings.

4) 例子：春天是放风筝的好季节。

Winter is a good season for skiing.

D 看图写词

① 

② 

③  

④ 

⑤

⑥ 

⑦ 

⑧ 

第三单元 复 习

第七课

课文 1 设施 附近 地方 公园 篮球场 足球场 网球场 滑冰场 商场 厕所 那儿 那里 商店 超市 书店 服装店 电影 电影院 买 好看 贵 可是

课文 2 收件人 发件人 主题 百货商店 地铁站 隔壁 市中心 方便 路 巴士 分钟 远 离 中间 就

第八课

课文 1 交朋友 真 同班 同岁 比 卷发 一样 跟 拉小提琴 水彩画 国画 油画 打排球 特别 讲笑话 啊

课文 2 学年 开学 第一 担心 节 完 已经 成 加拿大 漂亮 个子 直 热心 相同 打羽毛球 打乒乓球 滑雪

第九课

课文 1 位 找 事 急事 回来 部 俩 告诉 要 知道 没问题 打电话 给 发电邮

课文 2 亲爱 假期 度假 寒冷 寒假 暑假 打算 过 北京大学 待 应该 参观 游览 得 赶快 报名 天天 戴 回电邮

句型：

1) 我家离爸爸的公司不远。

2) 妈妈坐28路巴士上班，十五分钟就到了。

3) 她的头发比我的长。

4) 她长得比我高。

5) 她的爱好跟我的一样。

6) 上完汉语课以后，我们一起去上英语课。

7) 她长得很漂亮。

8) 她滑雪滑得挺好的。

9) 我们俩说好后天去看一部新电影。

10) 你可以给她发电邮。

问答：

1) 你们家附近有什么公共设施？ 我们住的地方附近有一个大公园。公园里有游泳池、滑冰场、篮球场、足球场、网球场和公共厕所。我们那儿还有一个大商场。

2) 商场里有什么商店？ 有超市、饭店、书店、服装店、鞋店等等。商场里还有一家电影院和一家宠物诊所。

3) 你常去那个商场吗？ 对。我常去那里的电影院看电影，去书店看书、买书。

4) 你在那个商场买过衣服吗？ 没买过。虽然那里的衣服好看，可是非常贵。

5) 妈妈，我今天交了一个新朋友。 真的吗？我真为你高兴！

6) 你的新朋友是不是你的同班同学？ 对。她和我同班，还和我同岁。

7) 你什么时候请她来我家玩？ 这个周末，行吗？

8) 请问，小英子在家吗？ 她不在家。你是哪一位？

9) 你找她有事吗？ 没有急事。

10) 她什么时候回来？ 她去北京看奶奶了，后天回来。

第三单元 测验

1 找同类词语填空

1) 打篮球 打网球 踢足球 打冰球

2) 足球场 篮球场 网球场 冰球场

3) 服装店 书店 鞋店 电影院

4) 中间 对面 右边

5) 国画 水彩画 油画

2 用所给词语填空

交 戴 上 教 找 发 放 待 买 穿

1) 北京的冬天非常冷，得天天 戴 帽子、围巾和手套。

2) 你们学校什么时候开始 放 寒假？

3) 我每天都给姐姐 发 电邮。

4) 我没在那里 买 过东西。

5) 你不应该 穿 牛仔裤上班。

6) 他爸爸在北京大学 教 汉语。

7) 今天我们 上 的第一节课是英语课。

8) 开学的第一天我就 交 到了一个朋友。

9) 他打算在西安 待 一个月。

10) 她在家吗？我 找 她有急事。

3 组词

① 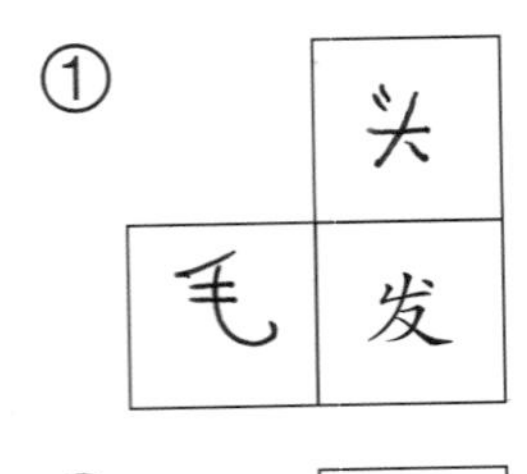

② 游泳、游览

③ 寒假、暑假

④ 商人、商场

⑤ 花园、校园

⑥ 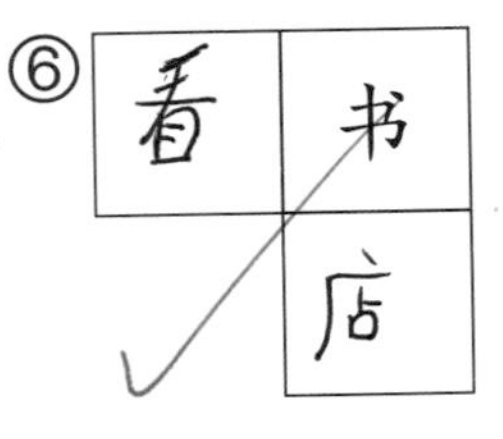

⑦ 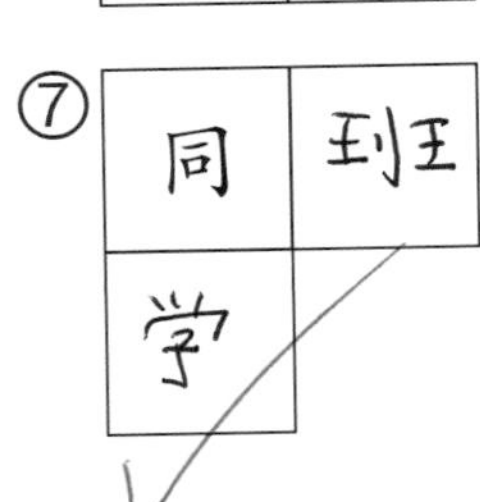

⑧ 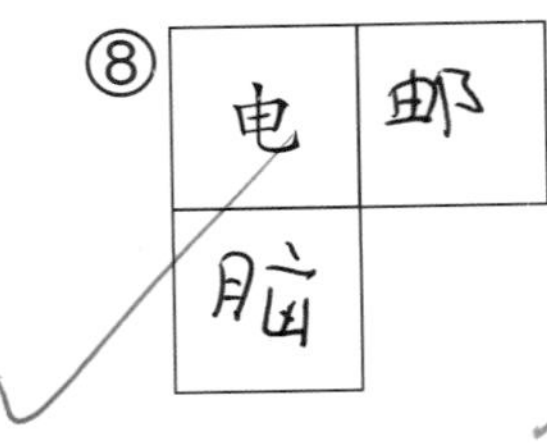

4 连词成句

1) 同学 / 是 / 同班 / 我的 / 他 / 。→

2) 去 / 说好 / 滑冰 / 我们俩 / 今天 / 。→

3) 爱 / 还 / 打篮球 / 很 / 他 / 。→

4) 近 / 地铁站 / 我家 / 很 / 离 / 。→

5) 巴士 / 妈妈 / 都 / 坐 / 上班 / 每天 / 。→

6) 要 / 日本 / 我 / 去 / 度假 / 。→

5 根据实际情况回答问题

1) 你的好朋友叫什么名字？

2) 他 / 她是你的同班同学吗？

3) 他 / 她长什么样？

4) 他 / 她有什么爱好？

5) 你家附近有什么公共设施？

6) 你常去大商场买衣服吗？

7) 你经常给朋友发电邮吗？

8) 这个假期你打算怎么过？

6 写反义词

1) 楼上→ ______ 2) 近→ ______ 3) 里面→ ______ 4) 后面→ ______

5) 左边→ ______ 6) 热→ ______ 7) 上面→ ______ 8) 以前→ ______

7 造句

1) 这条裙子　比：

2) 爱好　……跟……一样：

3) 出生　长大：

4) 放学　已经：

8 翻译

1) Please tell her that I will come back the day after tomorrow.

请告诉她，我后天会回来。✓

2) When does your summer vacation start?

你的暑假什么时候开始？✓

3) I will call him at eight o'clock tonight.

我今晚上八点会给他打电话。✓

4) The school is not far from my home. It only takes ten minutes by foot.

我家离学校不远，路上只要走十分钟。

5) My younger brother especially likes cracking jokes.

弟弟特别喜欢讲笑话。✓

6) The clothes shop is next to the cinema.

服装店就在电影院旁边。

9 用所给句子完成对话

a) 怎么报名?

b) 那我们现在就报名吧!

c) 我就是。什么事?

d) 我妈妈也让我去。大概什么时候去?

e) 好吧! 那你一会儿再给我打电话吧!

f) 好。我奶奶住在北京。我们可以住在她家。

A: 你好！我是王星。请问，李明在家吗？

B: ______________________________

A: 暑假我打算去北京大学学汉语。你去不去？

B: ______________________________

A: 7 月 20 号。我们可以在那里待两个星期。

B: ______________________________

A: 太好了！我们赶快报名吧！

B: ______________________________

A: 我们可以上网报名。

B: ______________________________

A: 等一等。我得先告诉我爸爸妈妈。

B: ______________________________

10 阅读理解

亲爱的小文：

你好！

我上个星期跟妈妈去上海了。我们在那儿待了六天。

在上海的时候，我们住在外婆家。外婆家在上海市中心，非常方便。外婆每天都给我们做饭。她做的蒸鱼特别好吃。外公经常跟我一起打乒乓球。他打得比我好。外公还教我画国画。我现在会画猫和鱼了。外婆家养了一只小狗，非常可爱。我晚上常常带它去散步。

我非常喜欢上海，但是上海的天气有点儿热，我不太习惯。

祝好！

小琴

回答问题：

1) 小琴在上海待了多长时间？
六天

2) 她在上海的时候住在哪儿？
外婆家

3) 她外婆做的什么菜特别好吃？
蒸鱼

4) 她外公打乒乓球打得怎么样？
比她好

5) 外公教她做什么？
画国画

6) 外婆家养了什么宠物？
一只小狗

7) 小琴喜欢上海吗？
她非常喜欢上海

11 写短文

你想请国外的朋友来你家过暑假／寒假。给他／她写一封信。你要写：

- 他／她可以什么时候来
- 你们可以去哪儿玩
- 他／她应该带什么衣服

第十课 我的新学校

课文 1

1 判断正误

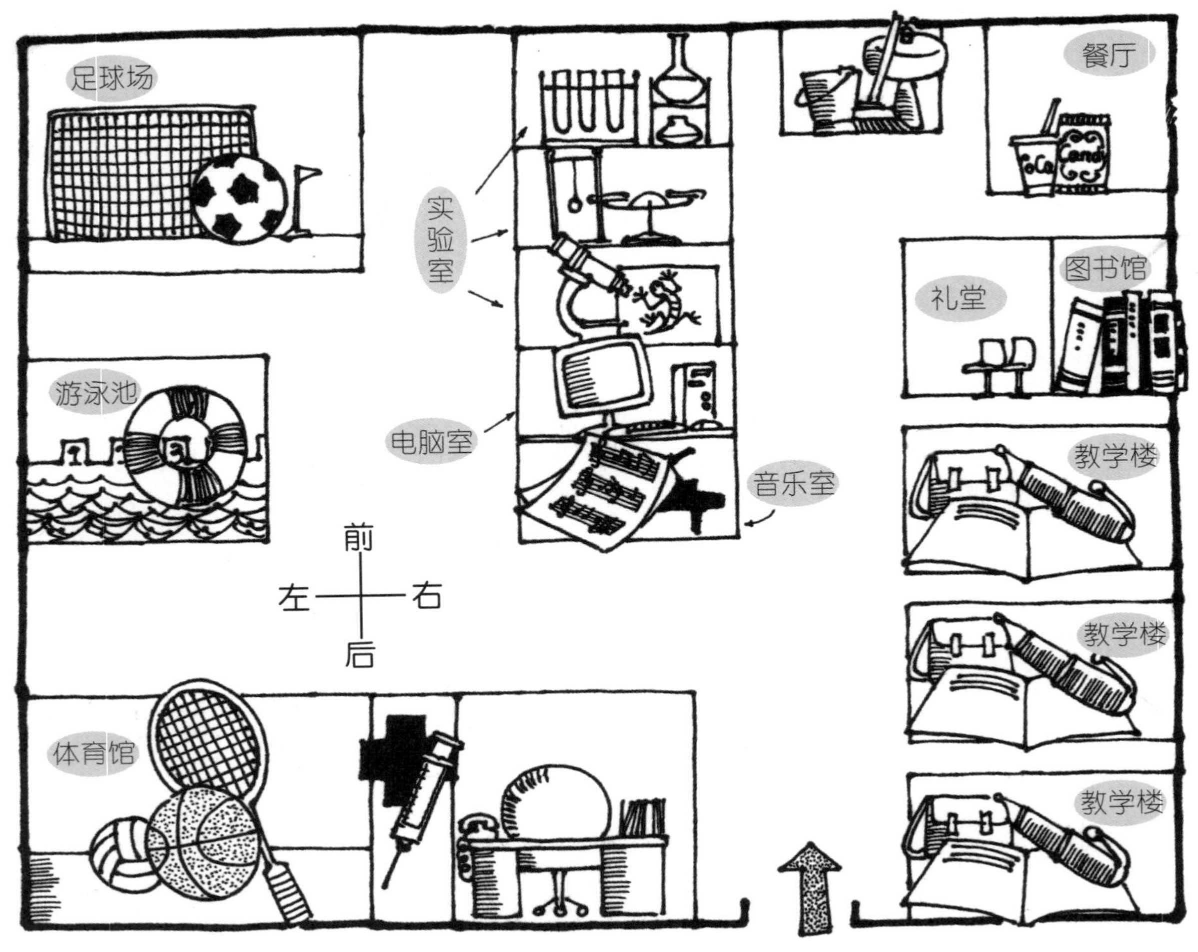

☐ 1) 足球场在游泳池后面。
The football pitch is behind the swimming pool.

☐ 2) 体育馆的右边是实验室。
~~The sports hall~~ on the sports hall's right there is the lab

☐ 3) 礼堂的隔壁是图书馆。
Next to the assembly hall is the library.

☐ 4) 这所学校有三幢教学楼。
This school has three teaching blocks.

☐ 5) 这所学校有两间实验室。
This school has two labs.

☐ 6) 电脑室在音乐室旁边。
The computer room is next to the music room.

☐ 7) 这所学校有两个餐厅。
This school has two dining rooms.

☐ 8) 这所学校没有体育馆。
This school does not have a sports hall.

☐ 9) 电脑室的左边是教学楼。
On The computer room's left is the teaching block.

☐ 10) 图书馆的对面是餐厅。
On the opposite of the library is the dining room.

2 填空

1) 我去医院 ______。

2) 我去体育馆 ______。

3) 我去教学楼 ______。

4) 我去餐厅 ______。

5) 我去商场 ______。

6) 我去图书馆 ______。

7) 我去电影院 ______。

8) 我去足球场 ______。

3 用所给词语填空

怎么 多长时间 为什么 怎么样 什么样 多少度 什么时候 什么

1) 你是从 ______ 开始发烧的？

2) 今天最高气温 ______？

3) 你的汉语老师长 ______？

4) 你昨天 ______ 没去报名？

5) 你们学校有 ______ 设施？

6) 你每天弹 ______ 钢琴？

7) 你打算 ______ 去北京？

8) 他拉小提琴拉得 ______？

4 翻译

1) There are over 1,000 students in our school.

______

2) Winter in Hong Kong is not very cold. The temperature is around 13 degrees.

______

3) We will stay in Shanghai for about two months.

______

4) I go to bed at around 10 p.m. every night.

______

5) He played the piano for around 2 hours today.

______

6) There are more than 60 shops in this mall.

______

5 看图填空

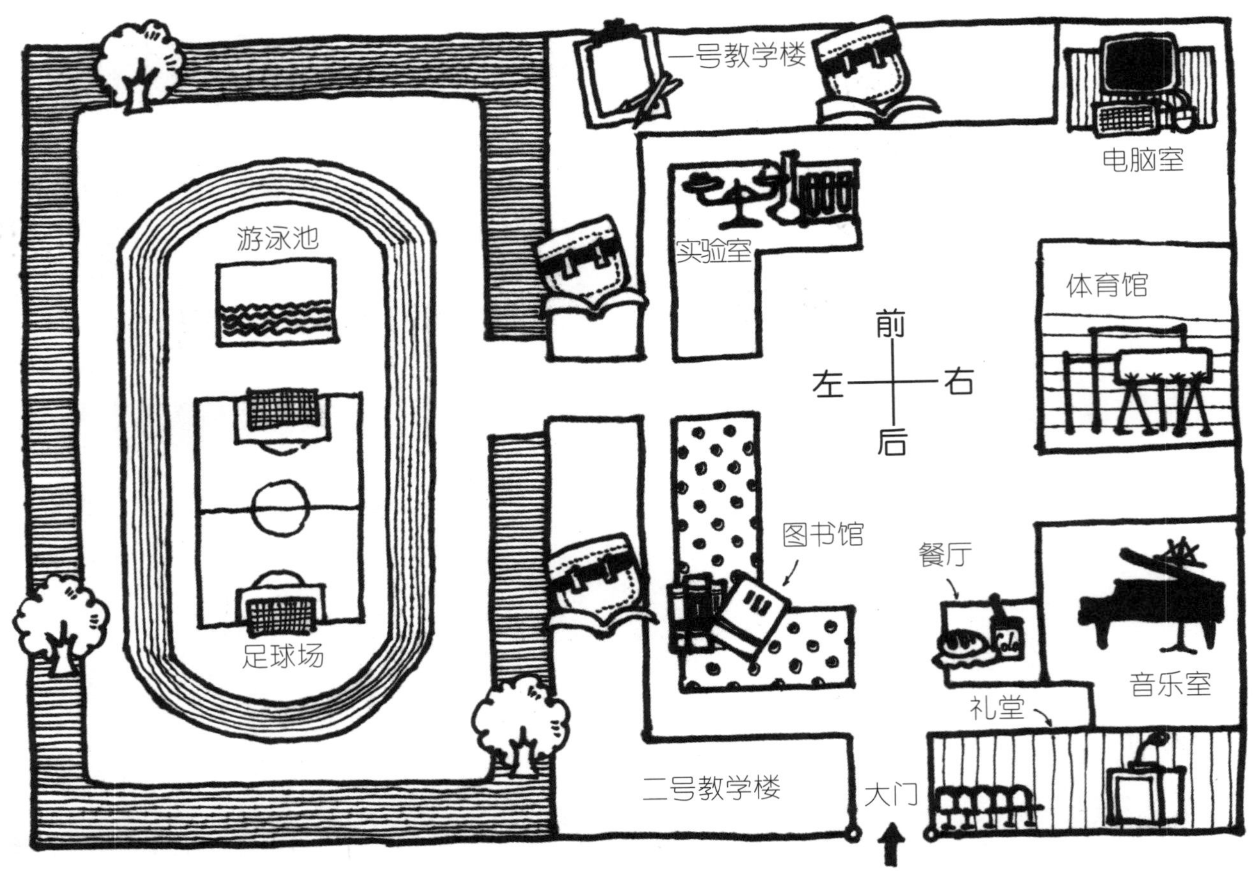

学校大门 ______ 是二号教学楼，______ 是礼堂。礼堂 ______ 是餐厅和音乐室。音乐室的 ______ 是体育馆。体育馆的 ______ 是电脑室。餐厅的 ______ 是图书馆。图书馆的 ______ 是实验室。实验室的 ______ 是一号教学楼。学校里还有 ______ 和游泳池。

6 写反义词

1) 热 → ____ 2) 矮 → ____ 3) 长 → ____ 4) 早 → ____

5) 阴 → ____ 6) 送 → ____ 7) 远 → ____ 8) 低 → ____

9) 西 → ____ 10) 内 → ____ 11) 卷 → ____ 12) 寒 → ____

7 根据实际情况回答问题

1) 你们学校是国际学校吗？

2) 你们学校有多少个学生？

3) 你们学校有什么设施？

4) 你经常用学校的哪些设施？

5) 你家离学校远吗？你每天怎么上学？

6) 你每天上几节课？一节课多长时间？

8 阅读理解

王家英在一所英国国际学校上学。他的学校叫新明学院，是一所男校。

新明学院挺大的。学校里有教学楼、礼堂、餐厅、图书馆、体育馆、篮球场、足球场、操场、室外游泳池等设施。学校有一千五百多个学生，一百多位老师。

家英每天早上八点到学校。他们早上八点一刻开始上课，下午三点半放学。他们一天上五节课，每节课六十五分钟。他们的午饭时间是一个小时。

家英今年参加了三个课外活动：打篮球、踢足球和游泳。

回答问题：

1) 家英的学校叫什么名字？

2) 他们学校有女生吗？

3) 他们学校里有没有网球场？

4) 他们学校里有没有游泳池？

5) 他们学校大约有多少个学生？

6) 家英每天早上几点到学校？下午几点放学？

7) 他每天上几节课？一节课多长时间？

8) 他喜欢运动吗？

9 写短文

画出你的学校，然后介绍一下。你要写：

- 你们学校是一所什么样的学校
- 你们学校有多少个学生，有多少位老师
- 你们学校有什么设施，你经常用哪些设施
- 你们几点开始上课，几点放学
- 你们每天上几节课，一节课多长时间
- 你今年参加了什么课外活动

10 阅读理解

长江和黄河

长江是中国和亚洲第一大河，世界第三大河。长江全长六千三百多公里，在上海流入东海。黄河是中国第二大河。黄河全长五千四百多公里，在山东流入渤海。长江和黄河是中华文化的摇篮，被叫作"母亲河"。

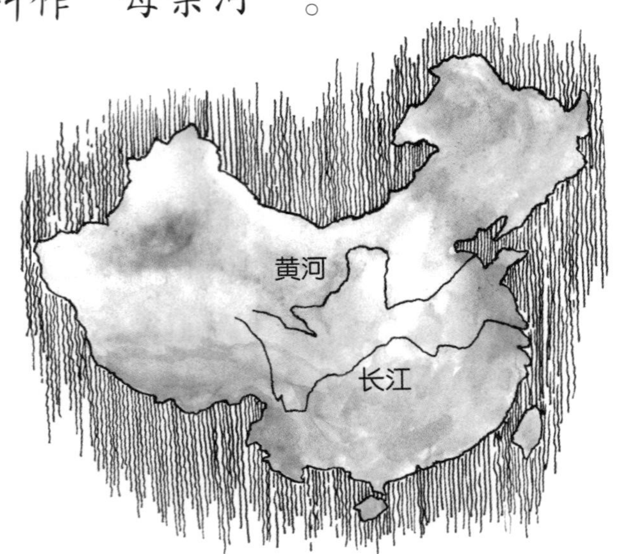

生词

1. cháng jiāng 长江 the Yangtze River
2. hé 河 river　huáng hé 黄河 the Yellow River
3. yà zhōu 亚洲 Asia
4. quáncháng 全长 full length
5. liú 流 flow
6. rù 入 enter
7. dōng hǎi 东海 the East China Sea
8. shān dōng 山东 Shandong Province
9. bó hǎi 渤海 the Bohai Sea
10. yáo lán 摇篮 cradle
11. jiào zuò 叫作 be called
12. mǔ qīn 母亲 mother

A 填空

1) 长江是 ______ 和 ______ 第一大河， ______ 第三大河。

2) 长江全长 ______ 公里，在 ______ 流入东海。

3) 黄河是中国 ______，全长 ______ 公里。

4) 长江和黄河是 ______ 的摇篮，被叫作“______”。

B 写意思

2) 全 (whole) { 全长 / 全校 }

3) 海 (sea) { 东海 / 海水 }

4) 摇 (shake) { 摇篮 / 摇头 }

C 模仿例子英译汉

1) 例子：长江是世界第三大河。
China is the world's third biggest country.

2) 例子：长江全长六千三百多公里。
There are over 2,000 students in our shcool.

D 填字母

☐ 1) 中国

☐ 2) 印度

☐ 3) 马来西亚

☐ 4) 新加坡

☐ 5) 日本

课文 2

11 判断正误

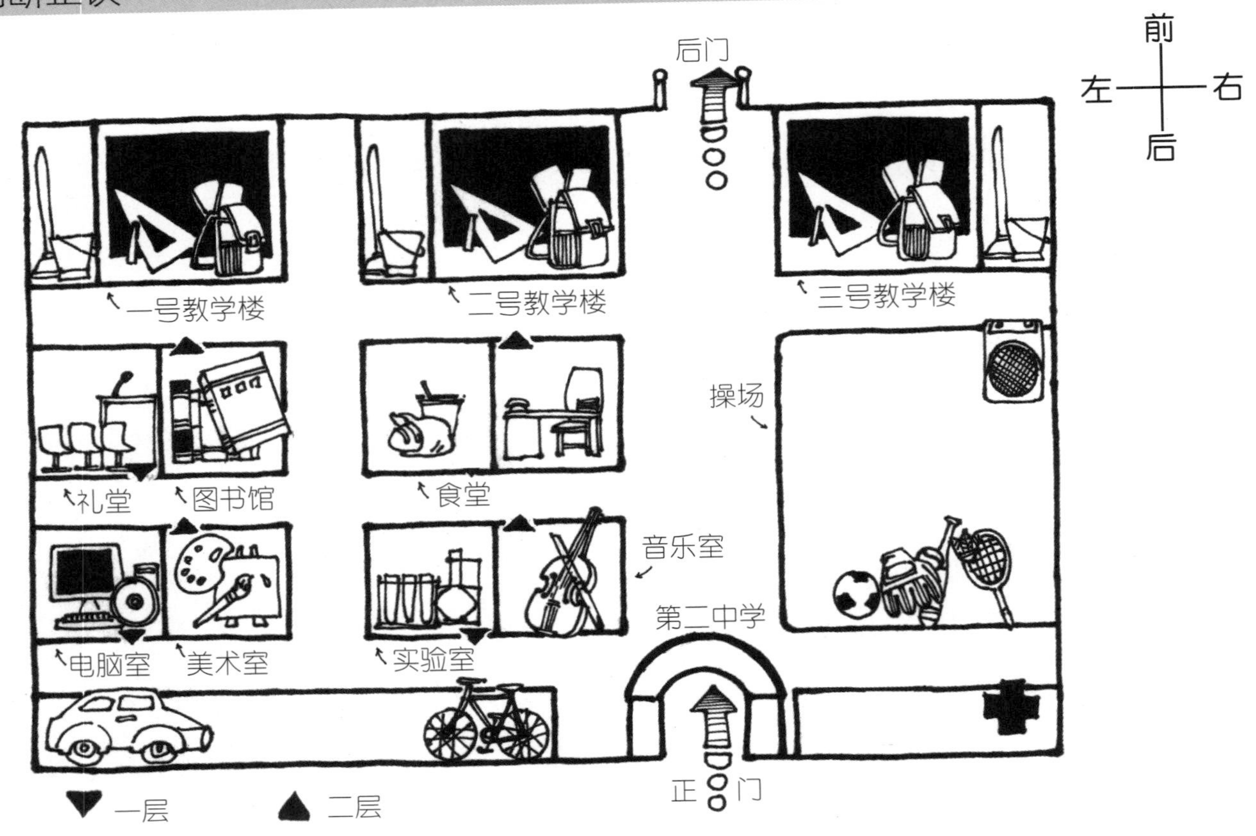

□ 1) 这是一所小学。

□ 2) 这所学校有三幢教学楼。

□ 3) 这所学校没有游泳池。

□ 4) 图书馆在礼堂对面。

□ 5) 实验室在音乐室楼下。

□ 6) 操场的后面是三号教学楼。

□ 7) 美术室在电脑室楼上。

□ 8) 二号教学楼在后门的左边。

12 圈出正确的汉字

1) (体)/休育馆在食堂旁边。

2) 你得赶快服/报名。

3) 我午饭一船/般吃中餐。

4) 张啊/阿姨不在家。

5) 学校里到外/处都是花草树木。

6) 最近/进我们搬家了。

7) 我们学校是一所亲/新学校。

8) 实/卖验室在二层。

13 用所给词语填空

对……好	又……又……	是……的	因为……，所以……	
……跟……一样	太……了	……的时候	跟……一起	

1) 今年暑假我打算 ______ 朋友 ______ 去北京学汉语。

2) ______ 我们学校是一所新学校，______ 学生还不太多。

3) 昨天下午我跑步 ______ 下雨了。

4) 这条连衣裙只卖五十块，______ 便宜 ______。

5) 我们学校的老师和同学都 ______ 我特别 ______。

6) 我家的小狗 ______ 聪明 ______ 可爱。

7) 你新买的书包 ______ 我的 ______。

8) 你爸爸 ______ 什么时候去北京出差 ______？

14 根据实际情况回答问题

1) 你们学校是走读学校吗？

2) 你们学校是男女同校吗？

3) 你们学校的校园大不大？有几幢教学楼？

4) 你们学校有游泳池吗？是室内游泳池还是室外游泳池？

5) 你们学校有食堂吗？食堂卖什么饭菜？

6) 你午饭一般吃什么？喝什么？

7) 学校的老师对你好吗？

8) 你在学校有几个好朋友？你们经常一起做什么？

15 阅读理解

王英：

你好！

我们学校是一所美国国际学校。学校的校园不大，但是到处都是花草树木，非常美。

我们学校是一所走读学校，有八百多个学生，六十多位老师。我们班有二十五个学生。他们都非常友好。我的教室在三号教学楼的五层。三号教学楼的一层是食堂。我每天都去那里吃午饭。食堂卖中式饭菜，也卖西式饭菜。那里的饭菜挺便宜的。

我最喜欢星期三，因为我们星期三下午不上课，中午一点就放学了。我星期三下午会参加两个课外活动：打篮球和画画儿。

祝好！

圆圆

回答问题：

1) 圆圆的学校大吗？漂亮吗？

不大，非常漂亮

2) 她的学校一共有多少位老师？多少个学生？

八百多个学生，六十多位老师。

3) 她的教室在哪儿？

三号教学楼的五层

4) 她在哪儿吃午饭？

食堂

5) 学校食堂卖什么饭菜？

中式饭菜，也卖西式饭菜

6) 食堂的饭菜贵吗？

不贵

7) 她为什么喜欢星期三？

下午不上课

8) 她星期三下午做什么？

打篮球和画画儿

16 找同类词语填空

1) 礼堂 操场 游泳池

2) 聪明 可爱 活泼

3) 滑雪 滑冰 滑冰球

4) 前面 后面 旁边

5) 咳嗽 拉肚子 头痛

6) 下雨 下雪 晴天

17 连词成句

1) 经常 / 去 / 我 / 看书 / 图书馆 / 。→ I often go to the library to read books.

2) 大约 / 用 / 要 / 路上 / 半个钟头 / 。→ On the way it takes half an hour

3) 花草树木 / 校园里 / 到处 / 是 / 都 / 。→ In the campus there are many flowers and trees.

4) 放假 / 我们学校 / 开始 / 二十号 / 。→ Our school vacation starts on the 20th

5) 过 / 今年寒假 / 怎么 / 打算 / 你 / ？→ How did you spend this year's winter vacation

6) 两个月 / 已经 / 了 / 有 / 我 / 到这所学校 / 。

→ I have already been studying at this school for two months.

18 翻译

① 我请了好几个朋友来参加我的生日会。

I invited several friends to my birthday party.

② 我昨天给他打了好几个电话。

I called him several times yesterday

③ 她感冒了好几天。

She had a cold for several days.

④ 我在上海工作了好几年。

I have been working in Shanghai for several years.

⑤ I have made quite a few new friends.

我交了好几个朋友。

⑥ He bought quite a few pairs of shoes.

他买了好几双鞋子

⑦ Our school has quite a few teaching blocks.

我们学校有好几教学楼。

⑧ I stayed in Beijing for quite a few days.

我在北京住了好几天。

19 看图写短文

这幢教学楼一共有四层。

20 完成句子

1) 我午饭总是 很贵但是非常好吃。

2) 我们学校 有很多设施 比如：礼堂和一个操场。

3) 学校食堂 有三层：在一层有中餐 比如：巴子。？包子？

4) 我们学校的老师和同学 又聪明又好。

5) 今年暑假 我家参观了北京也吃了巴子。

21 写反义词

1) 买→ 卖　2) 近→ 远　3) 低→ 高　4) 便宜→ 贵

5) 来→ 去　6) 接→ 送　7) 进→ 出　8) 室外→ 室内

9) 阴→ 睛 晴　10) 胖→ 瘦 瘦　11) 前→ 后　12) 楼上→ 楼下 楼

not an eye radical

22 阅读理解

夏云：

你好！

你好像很喜欢你的新学校。我真为你高兴。

我在新学校也交了好几个朋友，有英国人、美国人、中国人等等。我们学校的食堂也卖中式饭菜和西式饭菜。我午饭一般吃中式饭菜，有时候会从家里带三明治去学校。

我最近挺忙的，每天都有很多作业。我差不多每天都要做两个小时作业。我从这个月开始学打网球。我每个星期六都打两个小时网球。

我们学校十二月二十号开始放寒假。我们一家人可能会去北京看我外公外婆。

祝好！

秋月

回答问题：

1) 秋月在新学校有朋友吗？
有

2) 她的学校食堂卖什么饭菜？
中式饭菜和西式饭菜。 式 式

3) 她午饭吃什么？
中式饭菜

4) 她最近忙吗？为什么？
挺忙 因为她有很多作业。 因

5) 她哪天去打网球？打多长时间？
星期六，两个小时

6) 她的学校什么时候开始放寒假？
十二月二十号

7) 她这个寒假打算怎么过？
会去北京看她外公外婆

23 写短文

给你的朋友写一封电邮。你要写：

- 你们学校的校园、设施
- 学校的食堂卖什么饭菜，你午饭一般吃什么
- 你最近忙不忙
- 你今年参加了什么课外活动
- 这个假期你打算怎么过

24 阅读理解

中国名胜

中国有很多名山大川、名胜古迹。最有名的景点有万里长城、北京故宫、西安兵马俑、苏州园林、承德避暑山庄、安徽黄山、长江三峡、杭州西湖、桂林山水、台湾日月潭等等。每年都有成千上万的游客到中国旅游。

生词

1. 名胜 (míng shèng) a place famous for its scenery or historical relics
2. 名山大川 (míng shān dà chuān) famous mountains and great rivers
3. 景点 (jǐng diǎn) scenic spot
4. 万里长城 (wàn lǐ chángchéng) the Great Wall
5. 兵马俑 (bīng mǎ yǒng) terra-cotta warriors and horses
6. 苏州 (sū zhōu) Suzhou
7. 园林 (yuán lín) gardens
8. 承德避暑山庄 (chéng dé bì shǔ shānzhuāng) Qing Emperor's Summer Mountain Resort in Chengde
9. 安徽 (ān huī) Anhui
10. 黄山 (huáng shān) Huangshan Mountain
11. 长江三峡 (cháng jiāng sān xiá) the Three Gorges of the Yangtze River
12. 杭州 (háng zhōu) Hangzhou
13. 西湖 (xī hú) West Lake
14. 桂林 (guì lín) Guilin
15. 台湾 (tái wān) Taiwan
16. 日月潭 (rì yuè tán) Sun Moon Lake
17. 成千上万 (chéngqiānshàngwàn) tens of thousands of
18. 游客 (yóu kè) tourist
19. 旅游 (lǚ yóu) tour

A 填空

1) 中国有很多 ________、________。

2) 中国最有名的景点有 ________、________、西安兵马俑等等。

3) 每年都有成千上万的 ________ 到中国旅游。

B 写意思

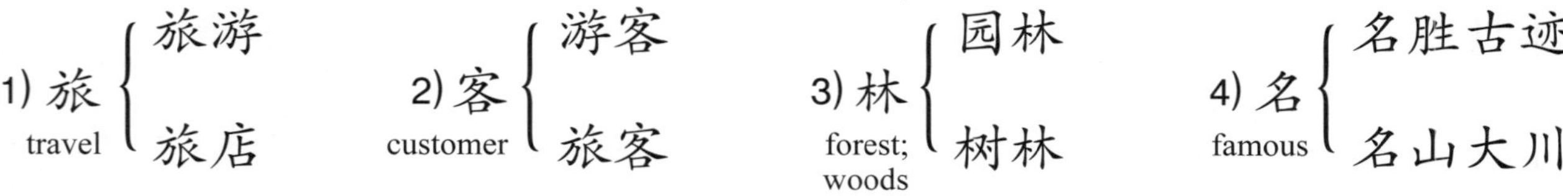

C 模仿例子英译汉

1) 例子：中国最有名的景点是万里长城。

The most famous university in China is Beijing University.

2) 例子：每年都有成千上万的游客到中国旅游。

Many people come to this park to do sports every morning.

D 填字母

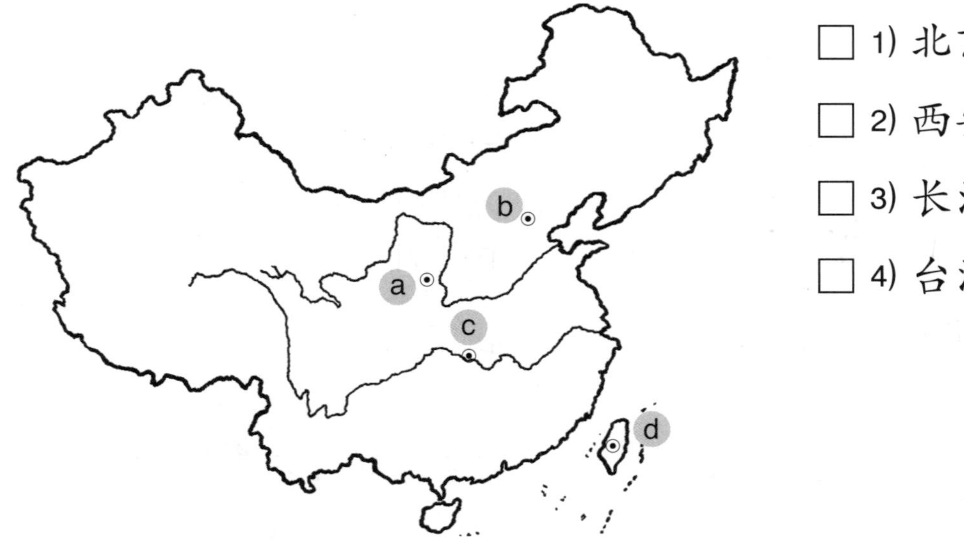

☐ 1) 北京故宫

☐ 2) 西安兵马俑

☐ 3) 长江三峡

☐ 4) 台湾日月潭

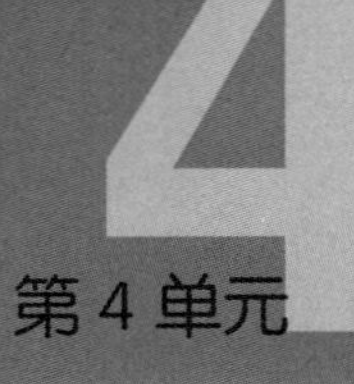

第4单元

第十一课　我喜欢学汉语

课文 1

1 阅读理解

课程表

时间 \ 星期	一	二	三	四	五
8:30-9:20	汉语	英语	汉语	化学	汉语
9:20-10:10	化学	数学	历史	汉语	数学
10:10-10:30	课间休息				
10:30-11:20	数学	地理	数学	英语	历史
11:20-12:10	体育	汉语	美术	数学	美术
12:10-13:10	午饭时间				
13:10-14:00	英语	电脑	物理	地理	电脑
14:00-14:50	物理	音乐	体育	电脑	班会
15:00-17:00	篮球	足球	油画	/	游泳

我叫李常。我在一所中文学校上学，今年上初二。这是我的课程表。

回答问题：

1) 李常今年上几年级？
二年级

2) 他今年有几门课？
十三门　十一

3) 他每个星期上多少节课？
三十节

4) 他每个星期有几节汉语课？
五节

5) 他每天都有数学课吗？
有

6) 他哪天有音乐课？
星期二

7) 他哪天没有课外活动？
星期四

8) 他星期一第二节是什么课？
数学

9) 他下午几点开始上课？
下午一点十分

10) 他下午几点放学？
下午三点前十分。差

2 配对

- [d] 1) 他喜欢上戏剧课，
- [a] 2) 他非常喜欢化学，
- [f] 3) 他不太喜欢上数学课，
- [b] 4) 他很不喜欢上音乐课，
- [c] 5) 他特别喜欢学生物，
- [e] 6) 他挺喜欢学物理的，

a) 因为化学老师教得非常好。
b) 因为他弹钢琴弹得不好。
c) 因为他觉得生物非常有趣。
d) 因为戏剧老师很有趣。
e) 因为物理老师对学生很好。
f) 因为他对数学不感兴趣。

3 用所给词语填空

的　得

1) 他长 ____ 高高 ____。
2) 她 ____ 头发比妹妹 ____ 长。
3) 王老师教化学教 ____ 很好。
4) 今年暑假我过 ____ 特别开心。
5) 妈妈 ____ 连衣裙有长 ____，也有短 ____。
6) 我最不喜欢 ____ 科目是历史。
7) 他 ____ 爱好跟我 ____ 一样。
8) 他打篮球打 ____ 非常好。
9) 他戴 ____ 帽子是新 ____。
10) 那家饭店做 ____ 小笼包挺好吃 ____。

4 造句

1) 今年　初一：
2) 喜欢　科目：
3) 戏剧　对……感兴趣：
4) 觉得　有趣：
5) 从来　国画：
6) 妈妈　家教：

5 看图写句子

我喜欢学英语，因为英语老师教得很好。

我不喜欢数学，因为不有趣。 没

③

我觉得运动非常有趣。

我不喜欢地理因为老师对我们不好。

⑤

我对化学非常感兴趣。

你可以用

a) 物理老师教得很好。
b) 我对数学非常感兴趣。
c) 我喜欢学这门课。
d) 我特别喜欢上英语课。
e) 我最喜欢的科目是数学。
f) 我不喜欢我的地理老师。
g) 我觉得化学很有趣。
h) 历史老师对学生很好。

6 用所给词语填空

对……好　对……感兴趣　跟……一起　……跟……一样　是……的
一边……一边……　因为……，所以……　又……又……　从……到……

1) 放学以后，我常常 跟 朋友 一起 打篮球。
2) 我 对 历史特别 感兴趣。
3) 化学老师 对 学生很 好。
4) 我的新鞋 跟 他的 一样。
5) 从 一月 到 三月，这里差不多每天都下雨。
6) 他喜欢 一边 做作业 一边 看电视。
7) 你 是 从什么时候开始请汉语家教 的？
8) 他长得 又 瘦 又 矮。
9) 因为 我今年有十二门课，所以 我每天都很忙。

7 写意思

① 数：________ 楼：________

② 戏：________ 找：________

③ 该：________ 刻：________

④ 休：________ 体：________

⑤ 蓝：________ 篮：________

⑥ 赶：________ 超：________

8 阅读理解

我叫方星，今年上初三。我在一所法国国际学校上学。我们学校是男校。我今年有十二门课：数学、物理、化学、生物、历史、地理、英语、汉语、戏剧、电脑、美术和体育。

我特别喜欢数学，因为我觉得数学非常有趣。我还喜欢学物理，因为我很喜欢物理老师。每天放学以后，我都先做数学作业和物理作业，然后做其他作业。

我的文科学得不好，特别是语言。我的英语和汉语都不太好。我的英语老师教得太快了，我不喜欢上英语课。后来妈妈想了一个好主意，她给我请了一个英语家教。现在我的英语好多了。我妈妈会说汉语。每天晚上她都跟我一起做汉语作业。

回答问题：

1) 方星今年上几年级？

初中三年级

2) 他今年有几门课？

十二门课

3) 他喜欢上什么课？

他很喜欢物理老师

4) 他为什么喜欢上物理课？

数学，物理等等

5) 他每天都有作业吗？

有

6) 他的英语和汉语学得怎么样？

不好

7) 他妈妈为什么给他请了一个英语家教？

英语老师教得太快了

9 写短文

参考第 8 题，介绍一下你今年上的课。你要写：

- 你在什么样的学校上学
- 你今年上几年级
- 你今年有几门课，有什么课
- 你喜欢 / 不喜欢上什么课，为什么
- 你有家教吗，有什么家教

10 阅读理解

十二生肖

生肖也叫属相。十二生肖由十二种动物组成，它们是鼠、牛、虎、兔、龙、蛇、马、羊、猴、鸡、狗和猪。在公元一世纪，中国人就用十二生肖计算年龄、纪年了。2016 年是猴年，所以这年出生的孩子属猴。

生词

1. shēngxiào shǔxiang 生肖（属相） any of the twelve animals, representing the twelve Earthly Branches, used to symbolize the year in which a person is born
2. yóu……zǔ chéng 由……组成 consist of
3. shǔ 鼠 mouse
4. hǔ 虎 tiger
5. tù 兔 rabbit
6. lóng 龙 dragon
7. shé 蛇 snake
8. mǎ 马 horse
9. yáng 羊 sheep
10. hóu 猴 monkey
11. jī 鸡 rooster
12. shì jì 世纪 century
13. jì suàn 计算 calculate
14. nián líng 年龄 age
15. jì nián 纪年 a way of numbering the years
16. shǔ 属 be born in the year of (one of the twelve animals)

A 填空

1) 生肖也叫 ______。

2) 十二生肖由 ______ 种动物组成，它们是鼠、______、______、______、______、蛇、______、______、猴、______、______ 和猪。

3) 在公元一世纪，中国人就用十二生肖计算 ______、______ 了。

4) 2016 年是 ______ 年，所以这年出生的孩子属 ______。

B 根据实际情况回答问题

1) 你是哪年出生的？你属什么？

2) 你的生日是几月几号？

3) 你爸爸是哪年出生的？他属什么？

4) 你妈妈是哪年出生的？她属什么？

5) 今年出生的人属什么？

6) 明年出生的人属什么？

C 完成句子

1) 我爷爷是 1936 年出生的。他属鼠。

2) 我奶奶是 ______________________

3) 我外公 ______________________

4) 我外婆 ______________________

5) 我的好朋友 ______________________

课文 2

11 看图写词

①

②

③

④

⑤

⑥

⑦
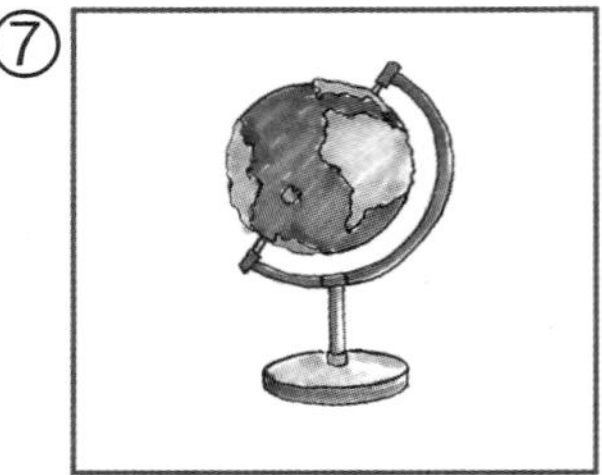

⑧

⑨

⑩

⑪

⑫

⑬

⑭

⑮

⑯
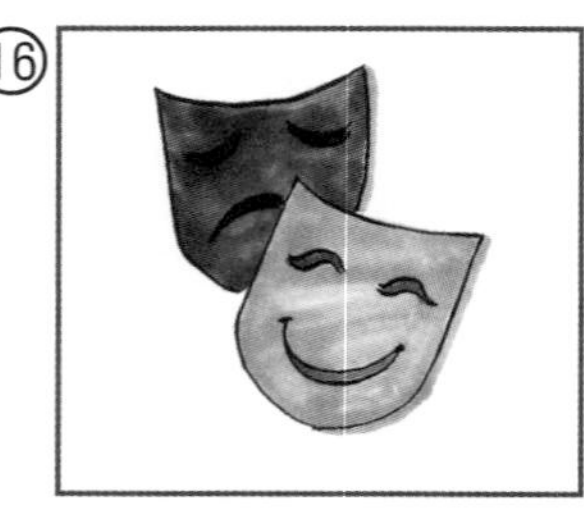

12 翻译

1) 他每天都给小狗洗澡。

He washes his ~~pet~~ dog everyday. ✓

2) 他昨天给我打了一个电话。

He called me yesterday. ✓

3) 我明天会给她发电邮。

I will send him an email tomorrow ✓

4) 医生给我开了一点儿药。 yào medicine

The doctor gave me a sick note

medicine

13 配对

c 1) 我对汉语很感兴趣，
a 2) 我喜欢上科学课，
b 3) 我觉得历史很有趣，
e 4) 我不喜欢学生物，
f 5) 我觉得汉字不难写，
d 6) 我觉得物理很难，

a) 我特别爱学化学。
b) 我对中国历史非常感兴趣。
c) 因为我觉得汉语很有用。
d) 我的物理老师也教得不好。
e) 我觉得生物课没有意思。
f) 但是很难记。

14 根据实际情况回答问题

1) 你们学校是国际学校吗？

我们学校不是国际学校。

2) 你们学校是走读学校还是寄宿学校？

我们学校是走读学校。

3) 你今年有几门课？有什么课？

我今年有十一门课比如：数学，化学和地理。

4) 你最喜欢的科目是什么？为什么？

我最喜欢的科目是汉语课因为我的汉语老师也教得很好。

5) 你最不喜欢的科目是什么？为什么？

我最不喜欢的科目是化学因为老师对我们不好。

6) 你觉得汉语难学吗？

我觉得汉语很难学。

7) 你觉得汉字难记吗？

我觉得汉字很难记。

8) 你觉得汉语有用吗？

我觉得汉语非常有用。

9) 你每天都要做功课吗？哪门课的功课最多？

我每天都要做很多功课。汉语课的功课最多。 really? yes♡

10) 你每天做多长时间功课？

我每天做三个小时功课。

15 写反义词

1) 冷→ ____ 2) 早→ ____ 3) 左→ ____ 4) 容易→ ____

5) 买→ ____ 6) 高→ ____ 7) 胖→ ____ 8) 便宜→ ____

9) 多→ ____ 10) 大→ ____ 11) 上→ ____ 12) 室外→ ____

13) 出→ ____ 14) 去→ ____ 15) 送→ ____ 16) 后面→ ____

17) 后→ ____ 18) 白→ ____ 19) 长→ ____ 20) 上学→ ____

16 翻译

① 在这十二门课中，我最喜欢学物理。

Among ~~the~~ 12 subjects, my favourite is to learn ~~biology~~ physics

② Among my 10 subjects, I find maths the most interesting.

在这十门课中，我觉得数学最有趣。

③ 我觉得汉语很有用。

I think chinese is useful.

④ I know that physics is difficult to learn.

我知道物理很难学。

⑤ 汉语语法不难学。

Chinese ~~language~~ grammar is not hard to remember.

⑥ Chinese characters are not hard to write.

汉字不难写。

17 组词

1) 地 ____ 2) 生 ____ 3) 戏 ____ 4) 家 ____ 5) 寄 ____

6) 容 ____ 7) 从 ____ 8) 食 ____ 9) 国 ____ 10) 便 ____

18 用所给词语填空

买　教　讲　告诉　打　交　请　写　记　找

1) 小美昨天______了一个笑话。

2) 妹妹今天在学校______了一个新朋友。

3) 上个星期，奶奶给我______了一件漂亮的毛衣。

4) 我昨天晚上给小明______了两个电话。

5) 妈妈给我______了一个汉语家教。

6) 我弟弟今年五岁，但是他已经会______五十多个汉字了。

7) 我爸爸不在家。你______他有事吗？

8) 我觉得汉字不难写，但是很难______。

9) 我的美术老师______得不好，所以我不喜欢上美术课。

10) 爷爷______我他想去中国参观游览。

19 造句

1) 寄宿　上学：

____

2) 做　功课：

____

3) 容易　学：

____

4) 难　记：

____

5) 化学　有意思：

____

6) 觉得　有用：

____

20 看图写句子

① 

法语虽然不容易学，但是很有趣。

⑤ 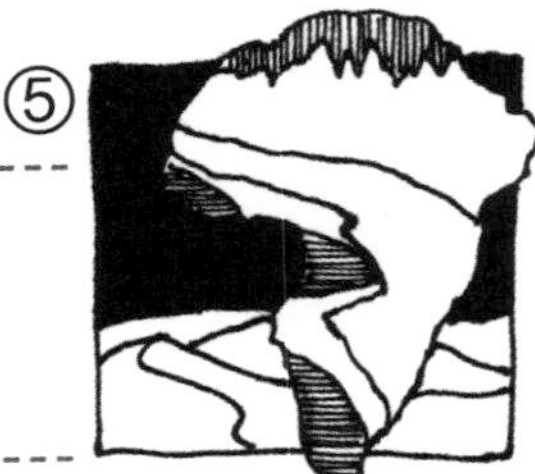

② 

⑥

③ 

⑦ 

④ 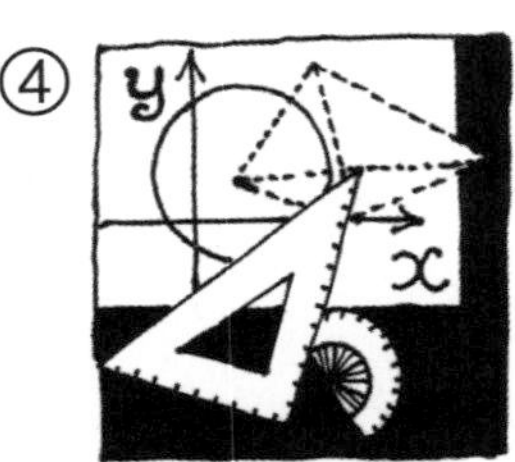

⑧

21 词语归类

a) 分数 (fēn shù)

b) 美术史

c) 汉语语法

d) 高等数学 (gāo děng)

e) 英语口语 (kǒu yǔ)

f) 初级汉语 (chū jí)

g) 中国历史

h) 话剧

i) 儿歌

j) 国画

k) 舞剧

科目

1) 历史 ________

2) 数学 ________

3) 英语 ________

4) 汉语 ________

5) 音乐 ________

6) 美术 ________

7) 戏剧 ________

22 填空

1) 一 ____ 学校 2) 一 ____ 袜子 3) 一 ____ 书店 4) 一 ____ 课

5) 一 ____ 老师 6) 一 ____ 卧室 7) 一 ____ 书架 8) 一 ____ 病假条

9) 一 ____ 围巾 10) 一 ____ 手套 11) 一 ____ 帽子 12) 一 ____ 运动服

13) 一 ____ 衬衫 14) 一 ____ 短裤 15) 一 ____ 小猫 16) 一 ____ 教学楼

23 阅读理解

钟天明在一所寄宿学校上学。学校离他家挺远的，所以他每个月回一次家。

钟天明今年上初三。他今年有十门课：数学、英语、汉语、物理、化学、生物、体育、历史、地理和戏剧。

在这十门课中，他生物学得最好。他觉得生物非常有趣，生物老师也教得特别好。虽然数学不太容易，但是他对数学很感兴趣，所以他数学学得挺好的。他汉语也学得很好，因为他爸爸妈妈总是跟他说："汉语很有用，你应该学好汉语。"

在这十门课中，他地理学得最不好。他觉得地理没有意思。他也不喜欢他的地理老师，因为地理老师总是让他们做很多功课。

回答问题：

1) 钟天明在什么样的学校上学？

2) 他为什么不常回家？

3) 他今年有几门课？有什么课？

4) 他哪门课学得最好？

5) 数学容易学吗？他数学学得怎么样？

6) 他爸爸妈妈为什么让他学好汉语？

7) 他为什么不喜欢上地理课？

24 写短文

参考第 23 题，介绍一下你的学校和你今年上的课。你要写：

- 你的学校是走读学校还是寄宿学校
- 你的学校离你家远不远
- 你今年上几年级
- 你今年有几门课，有什么课
- 你哪门课学得最好／不好，为什么
- 你每天用多长时间做功课，哪门课的功课最多

25 阅读理解

熊猫

大熊猫是一种古老的动物。它已经在地球上生存了至少八百万年了，因此被称为“活化石”。大熊猫十分可爱，是中国的国宝。大熊猫最爱吃竹子。一只大熊猫每天要吃二十多公斤的竹子。现在中国有一千八百多只大熊猫。

生词

1. 熊猫 xióng māo panda
2. 地球 dì qiú earth
3. 生存 shēng cún survive
4. 至少 zhì shǎo at least
5. 因此 yīn cǐ therefore
6. 活 huó living
7. 化石 huà shí fossil
8. 国宝 guó bǎo national treasure
9. 公斤 gōng jīn kilogram

A 填空

1) 大熊猫是一种 ________ 的动物，被称为“ ________ ”。

2) 大熊猫已经在地球上生存了至少 ________ 年了。

3) 大熊猫十分 ________，是中国的 ________。

4) 一只大熊猫每天要吃 ________ 公斤的竹子。

5) 现在中国有 ________ 只大熊猫。

B 写意思

1) 熊 bear { 熊猫 / 黑熊

2) 球 ball { 地球 / 星球

3) 宝 treasure { 文房四宝 / 国宝

4) 活 living { 活化石 / 活鱼

C 模仿例子英译汉

1) 例子：大熊猫被称为“活化石”。

The Yangtze River and the Yellow River are both regarded as “Mother Rivers” of China.

2) 例子：一只大熊猫每天要吃二十多公斤的竹子。

My younger brother eats two eggs every day.

D 看图写词

① 

② 

③ 

④ 

⑤ 

⑥ 

⑦ 

⑧ 

⑨ 

⑩ 

第十二课　我的爱好

课文 1

1 看图写句子

① 

她特别爱听音乐。她今天听了半个小时音乐。

② 

③ 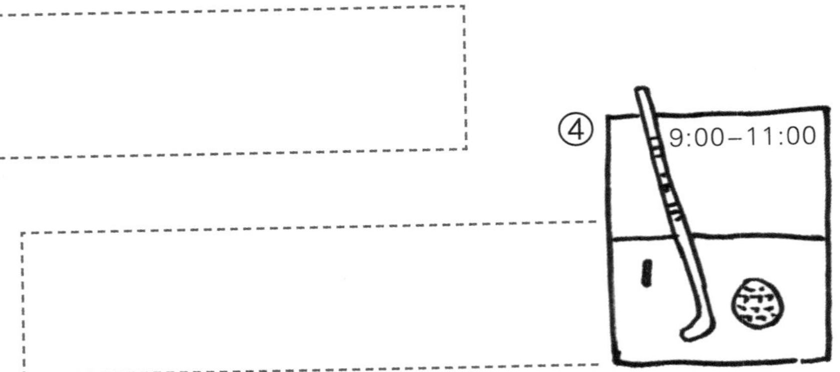

16:20–18:00

④ 9:00–11:00

2 写意思

① 赛：________
　 寒：________

② 期：________
　 棋：________

③ 科：________
　 和：________

④ 寄：________
　 椅：________

⑤ 哥：________
　 歌：________

⑥ 组：________
　 租：________

3 完成句子

1) 看完电影以后 (after the movie)，我们会去饭店吃饭。

2) 钢琴课以后 (after the piano lesson)，我会去打冰球。

3) 晚饭以后 (after dinner)，我要带小狗去散步。

4) 游泳以后 (after swimming)，我要去同学家玩。

4 看图写句子

① 

她正在写汉字。

② 

他们正在唱歌。

③ 

他们正在下国际象棋。

④ 

他正在画画儿。

⑤ 

她正在跳舞

⑥ 

他们正在打篮球

5 根据实际情况回答问题

1) 你午饭时间一般做什么？

2) 你今年参加了什么课外活动？

3) 你常常参加比赛吗？什么比赛？

4) 你会下国际象棋吗？

5) 你觉得哪门课最有意思？

6) 你觉得哪门课最难学？

6 翻译

① 我们学校有各种兴趣小组。

There are various types of interests in our school.

② The school canteen sells all kinds of snacks.

学校食堂卖各种小吃。

③ 他们正在唱歌。

He is singing a song. They are

④ They are playing Chinese chess now.

他们现在正在下象棋。

⑤ 上完体育课以后，我要去上戏剧课。

After P.E, I go to drama class.

⑥ On Sunday I normally watch TV for a while after getting up.

星期天，我常常起床以后看一会儿电视。

⑦ 我参加了学校的合唱队。

I joined the school choir

⑧ He wants to join the school football team.

他想参加学校足球队。

学校食堂

7 根据实际情况填表

你今年的课外活动

星期一	踢足球 15:00-16:00
星期二	
星期三	
星期四	
星期五	
星期六	
星期日	

8 造句

1) 一天　五节课：

____

2) 各种　兴趣小组：

____

3) 今年　十门课：

____

4) 正在　唱歌：

____

9 阅读理解

亲爱的天明：

你好！

你最近忙吗？功课多吗？你喜欢在寄宿学校上学吗？你们学校的课外活动多不多？你这个学期参加了什么兴趣小组？我知道你喜欢拉小提琴。你参加学校的乐队了吗？

我最近很忙。上初二以后，每门课都有很多功课。我每天晚上都要做三个多小时作业。我这个学期还参加了很多课外活动。我星期一中午去下象棋，星期三中午有合唱队的活动，星期五下午放学以后去踢足球。明天放学以后我们有足球比赛。

祝好！

高飞

回答问题：

1) 天明在什么样的学校上学？

2) 天明有什么爱好？

3) 高飞是中学生吗？

4) 高飞的功课多吗？他每天做多长时间功课？

5) 高飞这个学期参加了什么课外活动？

6) 高飞下午有没有课外活动？

7) 明天放学以后，高飞有什么活动？

10 写短文

假设你是天明，参考第 9 题，给高飞回一封电邮。你要写：

- 你的学校有什么兴趣小组
- 你这个学期参加了什么课外活动
- 你什么时候有课外活动
- 你最近有没有比赛，有什么比赛，什么时候有比赛

11 阅读理解

儒、道、佛

儒家思想、道教和佛教对中国人的思想观念有重要的影响。儒家思想的创始人是孔子（公元前 551 年–公元前 479 年）。道教非常推崇老子（大约在公元前 571 年–公元前 471 年）的思想。佛教是汉朝（公元前 206 年–公元 220 年）从印度传到中国的。

生词

1. rú jiā 儒家 Confucianism
2. dào jiào 道教 Taoism
3. fó jiào 佛教 Buddhism
4. sī xiǎng 思想 thought
5. guān niàn 观念 concept
6. chuàng shǐ 创始 originate; initiate
   chuàng shǐ rén 创始人 founder
7. kǒng zǐ 孔子 Confucius
8. tuī chóng 推崇 praise highly
9. lǎo zǐ 老子 Laozi, Chinese philosopher
10. hàn cháo 汉朝 Han Dynasty (206 B.C.-220)
11. chuán 传 spread

A 填空

1) ________、________ 和 ________ 对中国人的思想观念有重要的影响。

2) 儒家思想的创始人是 ________。

3) 道教非常推崇 ________ 的思想。

4) 佛教是 ________ 从 ________ 传到中国的。

B 写意思

1) 创 create { 创始 / 创新 }

2) 思 think { 思想 / 思路 }

3) 要 important { 重要 / 重大 }

4) 教 religion { 道教 / 佛教 }

C 模仿例子英译汉

1) 例子：儒家思想、道教和佛教对中国人的思想观念有重要的影响。

My parents have great influence on me.

2) 例子：儒家思想的创始人是孔子。

The founder of our school is Teacher Wang.

D 翻译

1) 三人行(xíng)，必(bì)有我师

2) 温故知新 (wēn gù zhī xīn)

3) 学而(ér)不厌(yàn)

4) 尊敬(zūn jìng)师长(zhǎng)

5) 孝顺父母 (xiào shùn fù mǔ)

6) 勤奋(qín fèn)好学

课文 2

12 看图写词

① 
② 
③ 
④ 

⑤ 
⑥ 
⑦ 
⑧ 

⑨ 
⑩ 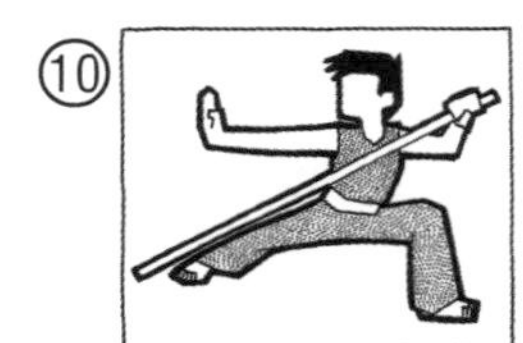
⑪ 
⑫ 

13 用所给词语填空

除了……以外，……还……　　因为……，所以……
对……感兴趣　　……跟……一样　　又……又……
虽然……，但是……　　一边……一边……　　跟……一起

1) 我的新自行车 ____ 哥哥的 ____。
2) 我周末常常 ____ 爸爸 ____ 去打高尔夫球。
3) 弟弟从小就 ____ 画画儿 ____。
4) ____ 弹吉他 ____，他 ____ 会拉小提琴。
5) ____ 他很累，____ 他还不想去休息。
6) ____ 他的英语不好，____ 他妈妈给他请了一个家教。
7) 妹妹喜欢 ____ 玩儿电脑游戏 ____ 吃饭。
8) 田阿姨家的小狗 ____ 聪明 ____ 可爱。

14 选择

a) 就 as early as　　b) 就 right away　　c) 就 exactly

1) 我今天晚上 ____ 给他发电邮。
2) 我现在 ____ 去睡觉。
3) 他五岁 ____ 开始练武术了。
4) 学校离我家不远，坐校车一刻钟 ____ 到了。
5) 餐厅 ____ 在礼堂楼下，非常近。
6) 我去年 ____ 参加了学校乐队。我在乐队里拉小提琴。
7) 超市 ____ 在书店的对面。
8) 合唱比赛马上 ____ 开始了。

15 用所给词语及结构写句子

除了	拉小提琴　滑冰 骑自行车　读书 弹吉他　看电视 下棋　唱歌　骑马	以外， ……还	喜欢 常常 经常 要	打高尔夫球　跑步 弹钢琴　练武术 玩儿电脑游戏 参加足球训练

1) 除了读书以外，我还要弹钢琴。
2) 除了唱歌以外，我还喜欢打高尔夫球。
3) 除了滑冰以外，我还常常跑步。
4)
5)
6)

16 根据实际情况填表

xìngmíng
姓名：方容

míngchēng
学校名称：英明中学

rén shù
学生人数：一千多个学生

老师人数：八十多位老师

上课时间：八点一刻

放学时间：三点半

年级：初二

今年要上的课：

数学、物理、化学、生物、英语、汉语、历史、地理、美术、音乐、戏剧、体育、电脑

感兴趣的科目：数学、汉语

不感兴趣的科目：地理

课外活动（学校）：

打篮球、打排球、弹吉他

兴趣爱好（校外）：

弹钢琴、画画儿

补习课：汉语、数学、英语

家教：拉小提琴、画国画

姓名：

学校名称：

学生人数：

老师人数：

上课时间：

放学时间：

年级：

今年要上的课：

感兴趣的科目：

不感兴趣的科目：

课外活动（学校）：

兴趣爱好（校外）：

补习课：

家教：

17 翻译

① 我每天都花半个小时跟小狗玩。

I spend half an hour playing with my dog everyday. bro?

② She spends one hour practising martial arts every day.

③ 他象棋下得不错。

He plays chess well.

④ She sings very well.

⑤ 她五岁就开始学汉语了。

She started learning to speak [illegible] as early as 5 years old.

⑥ He started horse riding as early as he was eight years old.

⑦ 我累了，我想睡一会儿觉。

I am tired, I want to sleep for a while.

⑧ I am tired. I want to rest for a while.

18 写意思

① 买：______ 卖：______

② 担：______ 但：______

③ 邮：______ 油：______

④ 活：______ 话：______

⑤ 直：______ 真：______

⑥ 亲：______ 新：______

⑦ 请：______ 晴：______ 睛：______

⑧ 咳：______ 该：______ 刻：______

⑨ 等：______ 待：______ 特：______

19 根据实际情况填表

A 课外活动（学校）

下棋：我从十岁开始学下象棋。周末我经常和爸爸一起下象棋。今年我参加了象棋兴趣小组。

你可以用

a) 我从小就喜欢画画儿。我会画油画、国画和水彩画。

b) 我爸爸网球打得很好。他周末常常带我去体育馆打网球。

c) 我的爱好是听音乐、唱歌和跳舞，所以我参加了学校的合唱队。

d) 我对中国武术很感兴趣。我六岁就开始练武术了。

e) 我特别喜欢踢足球，所以参加了学校的足球队。我们星期二和星期四下午三点有足球训练。

B 兴趣爱好（校外）

汉语：我从小学三年级开始学汉语。我觉得汉语非常有用，也非常重要。我每个星期日都去补习学校上汉语课。

20 用所给词语填空

有时候　　的时候　　什么时候

1) 你一般 ______ 玩电脑游戏?

2) 我昨天晚上睡觉 ______ 总是咳嗽。

3) 周末的晚上，弟弟 ______ 在家读书，______ 去同学家玩。

21 阅读理解

亲爱的天木:

你好!

我现在在上海的一所国际学校上学。我挺喜欢我的新学校的。

我们学校有各种兴趣小组。我今年参加了三个课外活动:武术、高尔夫球和吉他。我从小就对武术感兴趣，六岁就开始练武术了。我星期二放学以后有武术训练。我从八岁开始学打高尔夫球。我现在高尔夫球打得挺好的了。我从去年开始学弹吉他。我喜欢一边弹吉他一边唱歌。周末我还有补习课。星期天上午我去补习学校学英语和汉语。星期天下午家教教我画国画。

你今年参加了什么课外活动?

祝好!

相武

回答问题:

1) 相武现在住在哪儿?

2) 他在什么样的学校上学?

3) 他今年参加了什么课外活动?

4) 他什么时候有武术训练?

5) 他是从什么时候开始学弹吉他的?

6) 他去补习学校上什么课?

7) 谁教他画国画?

22 写短文

假设你是天木，参考第 21 题，给相武回一封电邮。你要写：

- 你有什么兴趣爱好
- 你今年参加了什么课外活动
- 你每个星期花多长时间做这些课外活动
- 你有没有补习课，有什么补习课

23 阅读理解

孔子

孔子是中国历史上最伟大的思想家、教育家、政治家，以及儒家思想的创始人。孔子一生教过三千个弟子，其中有七十二个弟子很有作为。孔子的思想对后世产生了很大的影响。《论语》反映了孔子的思想，是一部十分重要的作品。

生词

1. 伟大 (wěi dà) great
2. 思想家 (sī xiǎng jiā) thinker
3. 教育家 (jiào yù jiā) educationist
4. 政治家 (zhèng zhì jiā) politician
5. 一生 (yì shēng) all one's life
6. 弟子 (dì zǐ) follower; disciple
7. 作为 (zuò wéi) accomplishment
8. 后世 (hòu shì) later generations
9. 论语 (lún yǔ) The Analects of Confucius
10. 反映 (fǎn yìng) reflect
11. 部 (bù) a measure word (used of books, movies, etc.)
12. 作品 (zuò pǐn) works (of art and literature)

A 填空

1) 孔子是中国历史上最伟大的 ______、______ 和 ______。

2) 孔子是儒家思想的 ______。

3) 孔子一生教过 ______ 个弟子，其中有 ______ 个弟子很有作为。

4) 孔子的 ______ 对后世产生了很大的影响。

5)《______》反映了孔子的思想，是一部十分重要的作品。

B 写意思

1) 作 (write) { 作品 / 作家 }

2) 生 (lifetime) { 一生 / 人生 }

3) 教 (teach) { 教育 / 教师 }

4) 家 (expert) { 思想家　政治家　语言学家　画家 / 教育家　科学家　历史学家　音乐家 }

C 模仿例子英译汉

1) 例子：孔子一生教过三千个弟子，其中有七十二个弟子很有作为。

I have three brothers, among whom my eldest brother is the tallest.

2) 例子：孔子的思想对后世产生了很大的影响。

The thoughts of Budhism influenced many Chinese people.

第四单元　复　习

第十课

课文 1　学院　国际　多　礼堂　教学楼　实验室　图书馆　体育馆
室内游泳池　操场　用　哪些　路上　大约　钟头

课文 2　最近　走读　校园　花草　树木　到处　美　食堂　卖　中式　西式
便宜　块　友好　对　好几

第十一课

课文 1　初二　门　数学　化学　地理　物理　生物　历史　美术　戏剧
科目　有趣　兴趣　其他　从来　家教　请　主意　就

课文 2　寄宿　高一　科学　中　容易　有用　重要　语法　难　汉字　写
记　功课　有意思

第十二课

课文 1　兴趣小组　各种　唱歌　合唱队　乐队　武术　象棋　国际象棋　下
正在　队长　比赛

课文 2　累　骑自行车　骑马　弹吉他　打高尔夫球　补习　除了　以外　花
读书　玩儿电脑游戏　训练　从小　不错

句型：

1) 我们学校有一千两百多个学生。

2) 校园里到处都是花草树木。

3) 我们班的同学都对我很好。

4) 我已经交了好几个朋友了。

5) 我对物理最感兴趣。

6) 我从来都没学过画油画。

7) 在这六门课中，我最喜欢化学课。

8) 汉字虽然不难写，但是很难记。

9) 你看，他们正在下国际象棋。

10) 除了课外活动以外，星期二我还有数学补习。

11) 我足球踢得不错。

问答：

1) 你的新学校叫什么名字？　实礼学院。它是一所国际学校，有一千两百多个学生。

2) 你们学校有什么设施？　有礼堂、教学楼、实验室、图书馆、体育馆、室内游泳池、操场、餐厅等等。

3) 你经常用学校的哪些设施？　我经常去图书馆看书，去游泳池游泳，还常常去餐厅买午饭。

4) 你午饭一般吃什么？　我一般吃中餐，有时候也吃西餐。

5) 你每天怎么上学？路上要用多长时间？　我坐校车上学，路上大约要用半个钟头。

6) 你今年有几门课？　我今年有十三门课，有英语、汉语、数学、物理、化学、生物、历史、地理、美术、戏剧等等。

7) 你最喜欢的科目是什么？　我对物理最感兴趣。我觉得物理很有趣。

8) 那其他科目呢？　我不喜欢上美术课，因为我从来都没学过画油画，画得不好。

9) 你们学校一天上几节课？　五节课。

10) 一节课多长时间？　五十分钟。

11) 你们午饭时间一般做什么？　我们会去做运动，比如打篮球、打排球、打网球等等。我们还会参加兴趣小组的活动。

12) 你今年参加了什么课外活动？　我喜欢唱歌，所以参加了合唱队。

13) 周末你有活动吗？　没有。

第四单元　测　验

1 找同类词语填空

1) 数学 ________ ________ ________ ________ ________ ________ ________

2) 礼堂 ________ ________ ________ ________ ________ ________ ________

3) 骑马 ________ ________ ________ ________ ________ ________ ________

2 用所给词语填空

美　难　容易　有意思　有用　不错　累　便宜

1) 爸爸高尔夫球打得 ________。

2) 我们学校的校园不大，可是很 ________。

3) 食堂的三明治只卖五块，挺 ________ 的。

4) 我从早到晚都很忙，每天都觉得很 ________。

5) 我觉得数学很 ________。

6) 汉字不难写，但是很 ________ 记。

7) 我觉得地理很有趣，也很 ________ 学。

8) 我最喜欢上历史课。我觉得中国历史很 ________。

3 组词

① 教
② 唱
③ 队
④ 式
⑤ 自
⑥ 下
⑦ 他
⑧ 友

4 连词成句

1) 要／半个钟头／路上／大约／用／。→ ____________

2) 看书／我／经常／图书馆／去／。→ ____________

3) 是／到处／校园里／都／花草树木／。→ ____________

4) 中午十二点／放学／了／就／她／。→ ____________

5) 他／蒸鱼／没／从来都／吃过／。→ ____________

6) 花／每天都／我／读书／一个小时／。→ ____________

5 根据实际情况回答问题

1) 你的学校是走读学校还是寄宿学校？

2) 你们学校有什么设施？你经常用学校的哪些设施？

3) 你们学校一天上几节课？一节课多长时间？

4) 你今年有几门课？有什么课？

5) 你最喜欢的科目是什么？为什么？

6) 你最不喜欢的科目是什么？为什么？

7) 你觉得汉语语法难学吗？汉字难记吗？

8) 你每天怎么上学？路上要用多长时间？

9) 你午饭时间一般做什么？

10) 你今年参加了什么课外活动？

6 翻译

1) There are over one thousand students in my school.

____

2) I have studied in this boarding school for three months already.

____

3) I have never liked chemistry lessons.

____

4) Ask your mum to hire a tutor for you.

____

5) I think the Chinese characters are interesting and easy to write.

____

6) Chinese is very useful.

____

7 用所给词语组词并写出意思

小组　象棋　游戏　学校　游泳池　饭菜

1) 兴趣 ________ : ____________

2) 西式 ________ : ____________

3) 寄宿 ________ : ____________

4) 室内 ________ : ____________

5) 电脑 ________ : ____________

6) 国际 ________ : ____________

8 完成句子

1) 我今年十二岁，______________________________

2) 在这十门课中，______________________________

3) 我很喜欢唱歌，______________________________

9 造句

1) 对……感兴趣　物理：

____

2) 正在　骑马：

____

3) 除了　补习：

____

4) 就　练武术：

____

10 阅读理解

九月十五日星期五 晴

因为爸爸要到广州工作，所以我们家上个月搬到了广州。我在广州的新学校就在我家附近。我每天都骑自行车上学。

我的新学校是一所国际学校。学校的校园又大又漂亮。校园里到处都是花草树木。

我今年上初三，有九门课。我对物理最感兴趣。除了物理以外，我还喜欢学生物。我的生物老师教得特别好。我们每天都有功课。放学以后，我一般会花一个小时做功课。

我们学校有各种课外活动。我这个学期参加了排球队和武术队。

回答问题：

1) 他是什么时候搬到广州的？
2) 新学校离他家远吗？
3) 新学校的校园什么样？
4) 他今年有几门课？
5) 他喜欢上什么课？
6) 他一般会花多长时间做功课？
7) 他这个学期有什么课外活动？

11 写短文

假设你最近转学校了。给你的朋友写一封信。你要写：

- 你的新学校是一所什么样的学校
- 你的新学校有哪些设施
- 你今年有几门课，有什么课
- 你今年参加了什么课外活动

词汇表

生词	拼音	意思	课号
A			
啊	a	a particle	8
B			
巴士	bā shì	bus	7
白天	bái tiān	daytime	4
百货商店	bǎi huò shāng diàn	department store	7
班	bān	class	8
搬	bān	move	1
搬家	bān jiā	move (house)	1
包	bāo	bag	2
包子	bāo zi	steamed stuffed bun	3
报	bào	report	4
报名	bào míng	sign up	9
北京大学	běi jīng dà xué	Beijing University	9
本	běn	book	2
比	bǐ	than	8
比	bǐ	compare	12
比如	bǐ rú	for example; such as	3
比萨饼	bǐ sà bǐng	pizza	3
比赛	bǐ sài	match	12
壁	bì	wall	7
便	biàn	convenient	7
边	bian	a suffix	1
别	bié	difference	8
饼	bǐng	round flat cake	3
病	bìng	sickness; ill	5
病假	bìng jià	sick leave	5
病假条	bìng jià tiáo	sick-leave slip	5
不错	bú cuò	not bad; pretty good	12
补	bǔ	make up for	12
补习	bǔ xí	extra tuition; lessons after school	12
部	bù	a measure word	9
C			
彩	cǎi	colour	8
菜	cài	dish	3
参观	cān guān	visit	9

生词	拼音	意思	课号
餐	cān	eat	1
餐	cān	meal; food	3
餐厅	cān tīng	dining room	1
餐桌	cān zhuō	dining table	1
操	cāo	exercise	10
操场	cāo chǎng	sports ground	10
草	cǎo	grass	10
厕	cè	toilet	7
厕所	cè suǒ	toilet	7
层	céng	floor	1
差不多	chà bu duō	almost	6
常	cháng	ordinary	6
常常	cháng cháng	often	3
场	chǎng	a public place	7
唱	chàng	sing	12
唱歌	chàng gē	sing	12
超	chāo	super	7
超市	chāo shì	supermarket	7
吵	chǎo	noisy	6
炒	chǎo	stir-fry	3
炒菜	chǎo cài	stir-fried dish	3
炒饭	chǎo fàn	fried rice	3
炒面	chǎo miàn	fried noodles	3
车库	chē kù	garage	1
成	chéng	become	8
池	chí	pool	1
宠	chǒng	spoil	6
宠物	chǒng wù	pet	6
初	chū	at the beginning of	11
初二	chū èr	2nd year in a junior secondary school	11
除	chú	besides	12
除了	chú le	besides	12
厨	chú	kitchen	1
厨房	chú fáng	kitchen	1
处	chù	place	10
床头柜	chuáng tóu guì	bedside cabinet	2
春	chūn	spring	4
春天	chūn tiān	spring	4

生词	拼音	意思	课号
聪	cōng	clever	6
聪明	cōng míng	clever	6
从来	cóng lái	always	11
从小	cóng xiǎo	from childhood	12
错	cuò	bad; poor	12
		D	
打	dǎ	send	9
打电话	dǎ diàn huà	make a phone call	9
打高尔夫球	dǎ gāo ěr fū qiú	play golf	12
打排球	dǎ pái qiú	play volleyball	8
打乒乓球	dǎ pīng pāng qiú	play table tennis	8
打算	dǎ suàn	plan	9
打羽毛球	dǎ yǔ máo qiú	play badminton	8
大约	dà yuē	approximately	10
待	dāi	stay	9
带	dài	take	5
戴	dài	wear (accessories)	9
担	dān	take on	8
担心	dān xīn	feel anxious	8
蛋	dàn	egg	3
到处	dào chù	everywhere	10
道	dào	reason	9
得	děi	have to	9
低	dī	low	4
地	dì	place	7
地	dì	the earth	11
地方	dì fang	place	7
地理	dì lǐ	geography	11
地上	dì shang	on the ground	2
地铁站	dì tiě zhàn	subway station	7
第	dì	a prefix	8
第一	dì yī	first	8
点	diǎn	decimal point	5
电脑	diàn nǎo	computer	2
电脑游戏	diàn nǎo yóu xì	computer games	12
电影	diàn yǐng	movie	7
电影院	diàn yǐng yuàn	cinema	7
电邮	diàn yóu	E-mail	9
顶	dǐng	a measure word	2

生词	拼音	意思	课号
东	dōng	east	6
东西	dōng xi	stuff	6
冬	dōng	winter	4
冬天	dōng tiān	winter	4
读	dú	attend (school)	10
读	dú	read	12
读书	dú shū	read	12
肚	dù	belly; stomach	5
肚子	dù zi	belly; stomach	5
度	dù	degree	4
度	dù	spend (time)	9
度假	dù jià	spend one's vacation	9
队	duì	team	12
队长	duì zhǎng	captain	12
对	duì	face	2
对	duì	to	10
对面	duì miàn	opposite	2
多	duō	more; over	10
多云	duō yún	cloudy	4
		E	
耳机	ěr jī	earphone	2
		F	
发	fā	break out	5
发	fā	send out	7
发电邮	fā diàn yóu	send an E-mail	9
发件人	fā jiàn rén	sender	7
发烧	fā shāo	have a fever	5
法	fǎ	law	11
饭	fàn	cooked rice	3
饭菜	fàn cài	meal	3
方	fāng	place	7
方便	fāng biàn	convenient	7
房	fáng	room; house	1
房间	fáng jiān	room	1
房子	fáng zi	house	1
非	fēi	not	6
非常	fēi cháng	extremely	6
分钟	fēn zhōng	minute	7
风	fēng	wind	4

生词	拼音	意思	课号
服装	fú zhuāng	clothes	7
服装店	fú zhuāng diàn	clothes store	7
附	fù	nearby	7
附近	fù jìn	nearby	7
副	fù	pair; a measure word	2
	G		
该	gāi	should	9
赶	gǎn	hurry	9
赶快	gǎn kuài	hurry up	9
感	gǎn	feel	5
感冒	gǎn mào	catch cold	5
高	gāo	advanced	11
高尔夫球	gāo ěr fū qiú	golf	12
高兴	gāo xìng	happy	2
高一	gāo yī	1st year in a senior secondary school	11
告	gào	tell	9
告诉	gào su	tell	9
歌	gē	song	12
隔	gé	separate	7
隔壁	gé bì	next door	7
个子	gè zi	height	8
各	gè	various	12
各种	gè zhǒng	various types of	12
给	gěi	for	5
给	gěi	to	9
跟	gēn	as	8
公园	gōng yuán	park	7
功	gōng	skill	11
功课	gōng kè	homework	11
共	gòng	altogether	1
狗	gǒu	dog	3
刮	guā	blow (of wind)	4
刮风	guā fēng	wind blows	4
观	guān	look at	9
馆	guǎn	a place for cultural activities	10
柜	guì	cabinet	2
柜子	guì zi	cabinet	2
贵	guì	expensive	7
国	guó	national	8

生词	拼音	意思	课号
国画	guó huà	traditional Chinese painting	8
国际	guó jì	international	10
国际象棋	guó jì xiàng qí	chess	12
果汁	guǒ zhī	juice	3
过	guò	spend (time)	9
过	guo	a particle	6
	H		
还是	hái shi	or	3
寒	hán	cold	9
寒假	hán jià	winter holiday	9
寒冷	hán lěng	cold	9
汉字	hàn zì	Chinese character	11
好吃	hǎo chī	delicious	3
好几	hǎo jǐ	quite a few	10
好看	hǎo kàn	good-looking	7
好动	hào dòng	active	6
合	hé	together	12
合唱	hé chàng	chorus	12
合唱队	hé chàng duì	choir	12
盒	hé	box	3
盒饭	hé fàn	box meal	3
后面	hòu miàn	behind	1
后天	hòu tiān	the day after tomorrow	4
护	hù	protect; guard	5
护士	hù shi	nurse	5
花	huā	flower	1
花	huā	spend	12
花草	huā cǎo	flowers and plants	10
花园	huā yuán	garden	1
滑冰场	huá bīng chǎng	skating rink	7
滑雪	huá xuě	ski	8
化	huà	chemistry	11
化学	huà xué	chemistry	11
灰	huī	grey	6
灰白色	huī bái sè	greyish white	6
回	huí	reply	9
回电邮	huí diàn yóu	reply to an E-mail	9
回来	huí lái	return	9
活泼	huó pō	lively	6

生词	拼音	意思	课号
或者	huò zhě	either; or	3
货	huò	product	7

J

生词	拼音	意思	课号
鸡	jī	chicken	3
鸡蛋	jī dàn	egg	3
吉他	jí tā	guitar	12
急	jí	urgent	9
急事	jí shì	urgent matter	9
几	jǐ	several	10
己	jǐ	oneself	2
记	jì	remember	11
际	jì	between	10
季	jì	season	4
季节	jì jié	season	4
寄	jì	deposit	11
寄宿	jì sù	boarding	11
加拿大	jiā ná dà	Canada	8
家教	jiā jiào	private tutor	11
架	jià	shelf	2
假	jià	leave of absence	5
假	jià	holiday	9
假期	jià qī	holiday	9
间	jiān	room; a measure word	1
间	jiān	during	4
间	jiān	between	7
件	jiàn	piece; a measure word	2
件	jiàn	document	7
讲	jiǎng	say; tell	8
讲笑话	jiǎng xiào hua	crack a joke	8
交	jiāo	befriend	8
交朋友	jiāo péng you	make friends	8
叫	jiào	ask	5
教	jiào	teach	10
教学	jiào xué	teaching	10
教学楼	jiào xué lóu	classroom building	10
觉	jué	feel	5
觉得	jué de	feel; think	5
节	jié	section	4
节	jié	a measure word	8
巾	jīn	piece of cloth	2
近	jìn	near	7
经	jīng	pass through	8
就	jiù	exactly; as early as	7
就	jiù	right away	11
剧	jù	drama	11
卷	juǎn	curl	8
卷发	juǎn fà	curly hair	8

K

生词	拼音	意思	课号
开	kāi	open	2
开	kāi	write out	5
开心	kāi xīn	be delighted	2
开学	kāi xué	school starts	8
看	kàn	treat	5
看病	kàn bìng	see a doctor	5
科	kē	subject of study	11
科目	kē mù	school subject	11
科学	kē xué	science	11
咳	ké	cough	5
咳嗽	ké sou	cough	5
可	kě	be worth (doing)	6
可	kě	but	7
可爱	kě ài	cute	6
可乐	kě lè	coke	3
可能	kě néng	possible	4
可是	kě shì	but; however	7
客	kè	guest	1
客房	kè fáng	guest room	1
客厅	kè tīng	living room	1
课	kè	course; subject	2
课本	kè běn	textbook	2
库	kù	warehouse	1
块	kuài	a measure word	10
快	kuài	fast	3
快	kuài	hurry (up)	9
快餐	kuài cān	fast-food	3
框	kuàng	frame	2

L

生词	拼音	意思	课号
拉	lā	empty the bowels	5

生词	拼音	意思	课号
拉	lā	play	8
拉肚子	lā dù zi	have loose bowels	5
拉小提琴	lā xiǎo tí qín	play the violin	8
篮	lán	basket	7
篮球	lán qiú	basketball	7
篮球场	lán qiú chǎng	basketball court	7
览	lǎn	see; view	9
雷	léi	thunder	4
雷雨	léi yǔ	thunderstorm	4
累	lèi	tired	12
冷	lěng	cold	4
离	lí	away (from)	7
礼	lǐ	ceremony	10
礼堂	lǐ táng	assembly hall	10
里	lǐ	inside	1
里面	lǐ miàn	inside	1
理	lǐ	logic	11
历	lì	experience	11
历史	lì shǐ	history	11
俩	liǎ	two	9
练	liàn	practise	12
量	liáng	measure	5
亮	liàng	bright	8
零度	líng dù	zero degree	4
笼	lóng	steamer	3
楼	lóu	floor; building	1
楼房	lóu fáng	building	1
楼上	lóu shàng	upstairs	2
楼下	lóu xià	downstairs	2
路	lù	route	7
路上	lù shang	on the way	10
乱	luàn	messy	2
		M	
马	mǎ	horse	12
马上	mǎ shàng	at once	5
买	mǎi	buy	7
卖	mài	sell	10
猫	māo	cat	6
毛	máo	hair; fur	6

生词	拼音	意思	课号
毛	máo	feather	8
冒	mào	emit	5
帽	mào	hat	2
帽子	mào zi	hat	2
没问题	méi wèn tí	no problem	9
美	měi	beautiful	10
美术	měi shù	fine arts	11
门	mén	a measure word	11
米	mǐ	rice	3
米饭	mǐ fàn	cooked rice	3
面	miàn	a suffix	1
面	miàn	wheat flour; noodles	3
面包	miàn bāo	bread	3
面条	miàn tiáo	noodles	3
明	míng	bright	6
明年	míng nián	next year	4
木	mù	tree	10
目	mù	item	11
		N	
哪些	nǎ xiē	which, what or who (plural)	10
那	nà	then	4
那边	nà bian	over there	5
那里	nà li	there	3
那么	nà me	then	4
那儿	nàr	there	7
奶	nǎi	milk	3
难	nán	difficult	11
脑	nǎo	brain	2
内	nèi	inner	10
牛奶	niú nǎi	milk	3
牛肉	niú ròu	beef	3
		P	
排	pái	ribs	3
排球	pái qiú	volleyball	8
旁	páng	side	2
旁边	páng biān	side; beside	2
皮	pí	leather	2
皮鞋	pí xié	leather shoes	2
便宜	pián yi	cheap	10

生词	拼音	意思	课号
漂亮	piào liang	beautiful	8
乒乓	pīng pāng	table tennis	8
乒乓球	pīng pāng qiú	table tennis	8

Q

生词	拼音	意思	课号
其	qí	it; they	11
其他	qí tā	other; else	11
骑	qí	ride	12
骑自行车	qí zì xíng chē	ride a bicycle	12
骑马	qí mǎ	ride a horse	12
棋	qí	chess	12
气	qì	weather; air	4
气温	qì wēn	air temperature	4
前面	qián miàn	in front	1
亲	qīn	close	9
亲爱	qīn ài	dear	9
晴	qíng	fine	4
晴天	qíng tiān	fine day	4
请	qǐng	hire	11
秋	qiū	autumn	4
秋天	qiū tiān	autumn	4
去年	qù nián	last year	4
趣	qù	interest	11

R

生词	拼音	意思	课号
让	ràng	let; allow	5
热	rè	hot	3
热狗	rè gǒu	hotdog	3
热心	rè xīn	warm-hearted; enthusiastic	8
容	róng	allow	11
容易	róng yì	easy	11
肉	ròu	meat	3
如	rú	if	6
如果	rú guǒ	if	6

S

生词	拼音	意思	课号
赛	sài	match	12
三明治	sān míng zhì	sandwich	3
散	sàn	let out	6
散步	sàn bù	take a walk	6
嗓	sǎng	throat	5
嗓子	sǎng zi	throat	5
沙发	shā fā	sofa	1
商场	shāng chǎng	shopping mall	7
商店	shāng diàn	shop; store	7
上面	shàng miàn	on top of; above	2
烧	shāo	have a fever	5
设	shè	set up	7
设施	shè shī	facilities	7
身	shēn	body	6
身上	shēn shang	on one's body	6
生	shēng	come about	5
生	shēng	be alive	11
生病	shēng bìng	be ill	5
生物	shēng wù	biology	11
施	shī	carry out	7
时	shí	hour	5
时间	shí jiān	time	6
实	shí	reality	10
实验	shí yàn	experiment	10
实验室	shí yàn shì	laboratory	10
食	shí	eat	10
食堂	shí táng	canteen	10
史	shǐ	history	11
士	shì	person trained in a specific job	5
市	shì	market	7
市	shì	city	7
市中心	shì zhōng xīn	city centre	7
式	shì	style	10
事	shì	matter	9
是	shì	exist	2
室内	shì nèi	indoor	10
室内游泳池	shì nèi yóu yǒng chí	indoor swimming pool	10
收	shōu	receive	7
收件人	shōu jiàn rén	recipient	7
手套	shǒu tào	glove	2
书包	shū bāo	schoolbag	2
书店	shū diàn	bookstore	7
书房	shū fáng	study room	1
书柜	shū guì	book cabinet	2
书架	shū jià	bookshelf	2

生词	拼音	意思	课号
书桌	shū zhuō	desk	2
舒	shū	relax	5
舒服	shū fu	be well	5
暑	shǔ	heat	9
暑假	shǔ jià	summer holiday	9
术	shù	art	11
树	shù	tree	10
树木	shù mù	trees	10
数	shù	number	11
数学	shù xué	maths	11
双	shuāng	pair; a measure word	2
水彩	shuǐ cǎi	watercolour	8
水彩画	shuǐ cǎi huà	watercolour painting	8
思	sī	thought	11
嗽	sòu	cough	5
诉	sù	tell	9
宿	sù	stay overnight	11
酸	suān	sour	3
酸奶	suān nǎi	yoghurt	3
算	suàn	plan	9
虽然	suī rán	although	5
虽然……，但是……	suī rán..., dàn shì...	although	5
所	suǒ	used as a name of an institution or organization	6
所	suǒ	place	7
所以	suǒ yǐ	so	6

T

生词	拼音	意思	课号
他	tā	other	11
它	tā	it	6
它们	tā men	they; them (non-human)	6
台风	tái fēng	typhoon	4
弹吉他	tán jí tā	play the guitar	12
汤	tāng	soup	3
堂	táng	hall	10
套	tào	set; a measure word; cover	2
特	tè	special	8
特别	tè bié	special	8
疼	téng	ache; pain	5
提	tí	carry; lift	8
题	tí	topic	7
体	tǐ	body	5
体温	tǐ wēn	(body) temperature	5
体育	tǐ yù	physical education	10
体育馆	tǐ yù guǎn	gymnasium	10
天	tiān	season; weather	4
天气	tiān qì	weather	4
天气预报	tiān qì yù bào	weather forecast	4
天天	tiān tiān	every day	9
条	tiáo	a measure word	2
条	tiáo	long narrow piece	3
条	tiáo	slip	5
厅	tīng	hall	1
听说	tīng shuō	hear (of)	1
挺	tǐng	quite	2
同班	tóng bān	classmate; be in the same class	8
同岁	tóng suì	of the same age	8
痛	tòng	ache; pain	5
头痛	tóu tòng	headache	5
图	tú	picture	10
图书	tú shū	book	10
图书馆	tú shū guǎn	library	10

W

生词	拼音	意思	课号
袜	wà	socks	2
袜子	wà zi	socks	2
外面	wài miàn	outside	1
完	wán	finish	8
玩	wán	play	6
玩儿电脑游戏	wánr diàn nǎo yóu xì	play computer games	12
网球场	wǎng qiú chǎng	tennis court	7
围	wéi	enclose	2
围巾	wéi jīn	scarf	2
尾	wěi	tail	6
尾巴	wěi ba	tail	6
为	wèi	for	6
为什么	wèi shén me	why	2
位	wèi	a measure word	9
喂	wèi	feed	6

生词	拼音	意思	课号
温	wēn	temperature	4
问题	wèn tí	problem	9
卧	wò	lie	1
卧室	wò shì	bedroom	1
武	wǔ	martial arts	12
武术	wǔ shù	martial arts; kung fu	12
物	wù	creature	6
物	wù	thing	11
物理	wù lǐ	physics	11
雾	wù	fog	4

X

生词	拼音	意思	课号
西	xī	Western	3
西	xī	west	6
西安	xī ān	Xi'an	4
西餐	xī cān	Western food	3
西式	xī shì	Western style	10
息	xī	rest	5
习	xí	study; learn	12
洗	xǐ	wash	1
洗手间	xǐ shǒu jiān	toilet	1
洗澡	xǐ zǎo	bathe	6
戏	xì	drama	11
戏	xì	game	12
戏剧	xì jù	drama	11
下	xià	fall	4
下	xià	play (chess)	12
下面	xià miàn	under; below	2
下雪	xià xuě	snow	4
下雨	xià yǔ	rain	4
夏	xià	summer	4
夏天	xià tiān	summer	4
相	xiāng	each other	8
相同	xiāng tóng	same	8
相	xiàng	appearance	2
相框	xiàng kuàng	photo frame	2
象	xiàng	one of the pieces in Chinese chess	12
象棋	xiàng qí	(Chinese) chess	12
小笼包	xiǎo lóng bāo	small steamed meat dumplings	3
小时	xiǎo shí	hour	5
小时候	xiǎo shí hou	in one's childhood	6
小说	xiǎo shuō	novel	2
小提琴	xiǎo tí qín	violin	8
小雪	xiǎo xuě	light snow	4
小雨	xiǎo yǔ	drizzle	4
小组	xiǎo zǔ	group	12
校园	xiào yuán	campus	10
笑	xiào	laugh at	8
笑话	xiào hua	joke	8
些	xiē	a few; some; a measure word	10
鞋	xié	shoe	2
鞋柜	xié guì	shoe cabinet	2
鞋子	xié zi	shoe	2
写	xiě	write	11
心	xīn	heart; mind	2
心	xīn	centre	7
新	xīn	new	1
行	xíng	go	12
兴	xìng	excitement	2
兴	xìng	passion for something	11
兴趣	xìng qù	interest	11
兴趣小组	xìng qù xiǎo zǔ	clubs at school	12
休	xiū	rest	5
休息	xiū xi	rest	5
学	xué	branch of study	11
学	xué	knowledge	11
学年	xué nián	academic or school year	8
学院	xué yuàn	college; academy	10
雪	xuě	snow	4
训	xùn	train; drill	12
训练	xùn liàn	train; drill	12

Y

生词	拼音	意思	课号
验	yàn	test	10
洋	yáng	foreign	1
洋房	yáng fáng	Western-style house	1
养	yǎng	raise	6
药	yào	medicine	5
要	yào	should; need	5
要	yào	will	9

生词	拼音	意思	课号
要	yào	important	11
夜	yè	night	4
夜间	yè jiān	at night	4
乐队	yuè duì	band; orchestra	12
衣柜	yī guì	wardrobe	2
一共	yí gòng	altogether	1
一下	yí xià	show a short and a quick action	5
一样	yí yàng	same	8
宜	yí	suitable	10
已	yǐ	already	8
已经	yǐ jīng	already	8
以上	yǐ shàng	above	4
以外	yǐ wài	other than	12
以下	yǐ xià	below	4
椅	yǐ	chair	1
椅子	yǐ zi	chair	1
易	yì	easy	11
意	yì	idea	11
意	yì	meaning	11
意思	yì si	meaning	11
因	yīn	because of	6
因为	yīn wèi	because	6
因为……，所以……	yīn wèi..., suǒ yǐ...	because	6
阴	yīn	overcast	4
阴天	yīn tiān	overcast day	4
应	yīng	should	9
应该	yīng gāi	should	9
影	yǐng	movie	7
用	yòng	use	10
用	yòng	usage	11
邮	yóu	mail	9
油	yóu	oil	8
油画	yóu huà	oil painting	8
游	yóu	travel	9
游览	yóu lǎn	tour	9
游戏	yóu xì	game	12
游泳池	yóu yǒng chí	swimming pool	1
友好	yǒu hǎo	friendly	10
有	yǒu	there be	1

生词	拼音	意思	课号
有点儿	yǒu diǎnr	somewhat	6
有趣	yǒu qù	interesting	11
有意思	yǒu yì si	interesting	11
有用	yǒu yòng	useful	11
又	yòu	(both) ... and...	6
又……又……	yòu... yòu...	both... and...	6
右	yòu	right	1
右边	yòu bian	right side	1
鱼	yú	fish	3
羽	yǔ	feather	8
羽毛	yǔ máo	feather	8
羽毛球	yǔ máo qiú	badminton	8
雨	yǔ	rain	4
语法	yǔ fǎ	grammar	11
育	yù	educate	10
浴	yù	bath	1
浴室	yù shì	bathroom	1
预	yù	in advance	4
预报	yù bào	forecast	4
园	yuán	garden	1
远	yuǎn	far	7
约	yuē	approximately	10
云	yún	cloud	4
运动服	yùn dòng fú	sportswear	2
运动鞋	yùn dòng xié	sneakers	2

Z

生词	拼音	意思	课号
杂	zá	various	2
杂志	zá zhì	magazine	2
澡	zǎo	bath	6
怎么样	zěn me yàng	how	4
站	zhàn	stop; station	7
张	zhāng	a measure word	5
长	zhǎng	leader	12
找	zhǎo	look for; find	9
真	zhēn	true; really	8
诊	zhěn	examine (a patient)	6
诊所	zhěn suǒ	clinic	6
阵	zhèn	a period of time	4
阵雨	zhèn yǔ	shower	4

生词	拼音	意思	课号
蒸	zhēng	steam	3
正	zhèng	be doing	12
正在	zhèng zài	be doing	12
之	zhī	of	4
之间	zhī jiān	between	4
只	zhī	a measure word	6
汁	zhī	juice	3
知	zhī	know	9
知道	zhī dào	know	9
直	zhí	straight	8
只	zhǐ	only	6
志	zhì	records	2
中	zhōng	Chinese	3
中	zhōng	among	11
中餐	zhōng cān	Chinese food	3
中间	zhōng jiān	between	7
中式	zhōng shì	Chinese style	10
中心	zhōng xīn	centre	7
钟	zhōng	time (in hours and minutes)	7
钟头	zhōng tóu	hour	10
种	zhǒng	type	12
重	zhòng	important	11
重要	zhòng yào	important	11
粥	zhōu	porridge; congee	3
猪	zhū	pig	3
猪排	zhū pái	pork chop	3
猪肉	zhū ròu	pork	3
主意	zhú yi	idea	11
主	zhǔ	main	7
主题	zhǔ tí	subject	7
转	zhuǎn	turn	4
装	zhuāng	clothes	7
幢	zhuàng	a measure word	1
桌	zhuō	table; desk	1
桌子	zhuō zi	table; desk	2
自	zì	self; oneself	2
自己	zì jǐ	oneself	2
自行车	zì xíng chē	bicycle	12
字	zì	character; word	11
总	zǒng	always	3

生词	拼音	意思	课号
总是	zǒng shì	always	3
走读	zǒu dú	attend a day school	10
足球场	zú qiú chǎng	football pitch	7
组	zǔ	group	12
最	zuì	most	3
最后	zuì hòu	in the end	5
最近	zuì jìn	recently	10
左	zuǒ	left	1
左边	zuǒ bian	left side	1
左右	zuǒ yòu	around	4
做	zuò	make	3
做饭	zuò fàn	cook	3